해시태그.
서울.

해시태그. 서울.

기획/편집 최정은, 최소리 · 저자 곽윤수, 김태은, 김헌수, 김현주ex-media, 양아치, 오로제, 전지윤, 최정은

해시태그. 서울.

발행일 2021년 6월 27일

지은이 곽윤수, 김태은, 김헌수, 김현주ex-media, 양아치, 오로제, 전지윤, 최정은

발행인 구나윤
편　집 최정은, 최소리
디자인 윤대중
인　쇄 아람인쇄
출판사 그레파이트온핑크 Graphite on Pink
출판등록 2015년 3월 10일, 제2015-000065호

주　소 서울특별시 성동구 왕십리로10길 6, 308호(성수동1가, 서울숲비즈포레)
전　화 02-518-3027
이메일 info@graphiteonpink.com
웹사이트 www.graphiteonpink.com

값 19,000원

ISBN 979-11-87938-21-7

목차

해시태그
공간에 대한 단상

최정은

비/공간

걷는 것을 좋아한다. 아니, 걷는 것에 집착한다. 새로운 도시에 둥지를 틀 때마다 처음 염두에 두는 것은 도심 속에 메트로가 있는가, 걸어서 마켓에 갈 수 있는가 등이다. 특별히 걷는다는 행위에 집착하게 된 것은 아마도 8년간의 광활하고도 한적한 미국 남부의 한 도시에서의 생활이 주는 기억 때문일 것이다. 자동차가 주는 안락한 스피드에 삶 자체는 보다 효율적이었고, 안정되었으나, 나는 그 도시가 주는 감흥, 내 신체에 아로새겨진 흥분을 기억하지 못한다. 그 도시를 떠올리면, 출근길 드라이브 중 마주했던 시각적 찰나들과 파편화된 기억의 맞지 않는 퍼즐이 생겨난다. 이러한 파편적 공간의 경험은 나를 더 고립된 외국인으로 그곳에 위치시켰다. 그 도시는 나에게 그저 지나치는 순간에 존재했던 단지 하나의 익명적 공간이었던 것이다. 마크 오제(Marc Auge)는 이러한 공간을 비공간(non-place)으로 불렀다. 익명적이며 오직 행위를 위해서 존재하는 배경으로서의 공간, 의미를 잃어버린 공간성이다. 이러한 비공간들은 나와 공간 사이의 낯섦 안에서만 존재하는 것은 아니다.

서울과 같이 시간이 빨리 흐르는 큰 도시는 익숙함 안에서도 그러한 비공간들을 많이 만들어 낸다. 매일 지나는 통근 길, 지하철, 모바일 폰에 머리를 파묻고 있는 버스 정류장, 우리의 삶의 그저 무음의 배경이 되는, 일상의 주의를 끌지 못하는 모든 공간들이 비공간이 된다. 하지만 비공간이 '장소'로, 즉 이푸투안(Yi-Fu Tuan)이 말한 감각된 공간 (center of felt values)으로 변화하는 것은 아주 작은 노력에서 시작된다. 내 몸을 그 공간에 맡기는 것이다. 나의 주의를 공간에게 조금 내주어, 내가 여기에 존재하고 있음을 온몸의 감각으로 느끼는 것이다.

전지윤, Some place: Detached Part, Mixed Media, 2014-2021

몸

몸으로 공간을 기억한다. 머릿속 공간의 파편들은 걷기를 통해 비로소 서로를 연결한다. 여기서 걷는다는 것은 단순히 이동을 위한 신체적 행위를 일컫는 것은 아니다. 내 몸이 그 공간과 감각적으로 소통하는 일이다. 보고, 냄새를 맡고, 듣는다; 공간이 소개하는 방향성에 내 몸을 맡긴다; 그 공간에 내 몸을 포갠다. 비로소 내 몸이 공간에 존재한다. 이 겹침의 경험은 그 공간의 아주 특별한 기억과 이해를 생성한다. 개념적 공간이 경험되어 살아지는 순간이며, 공간은 살아짐을 통해 비로소 존재가 된다. 그 교감의 순간이 내가 이 공간을 장소로 재발견하는 지점이다.

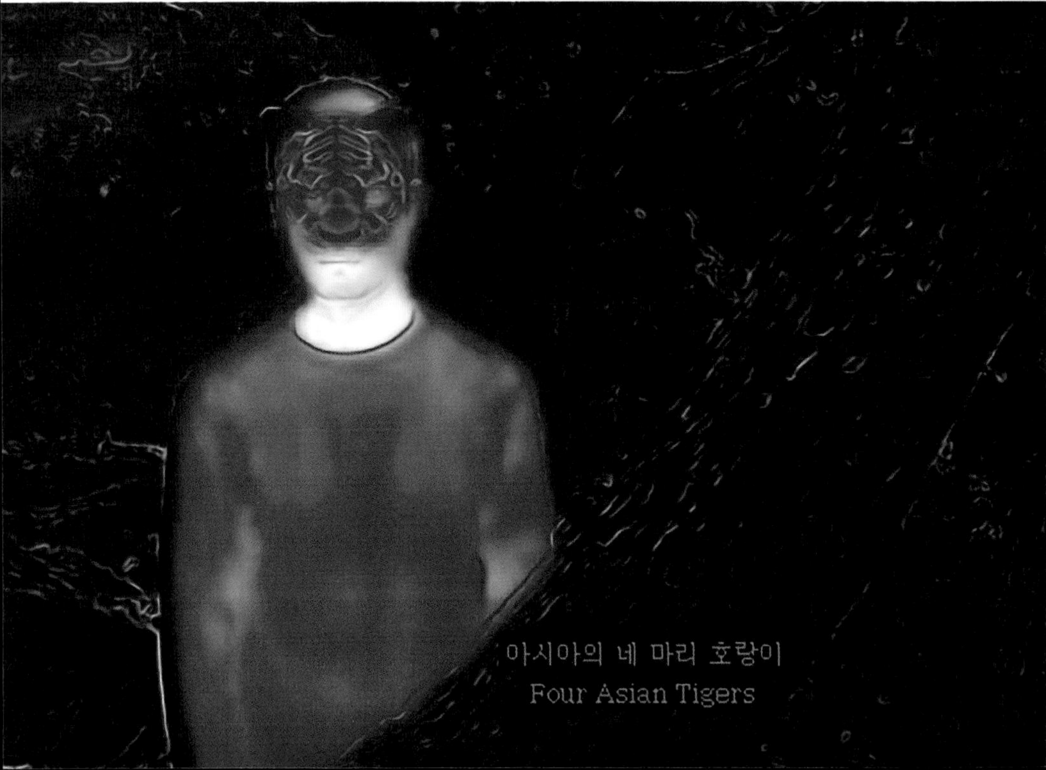

여기서 몸이라 함은 단순히 생물학적인 신체와 체화(embodiment)의 그 중간 어느 지점에 존재하는 하나의 매개체이다. 베나데트 베겐슈타인(Bernadette Wegenstein)은 대상화되는 하나의 오브제로서의 '신체'와, 개별적 인간이 세계를 역동적이고 구체적으로 살고 경험하는 몸으로써의 존재방식인 '체화'를 구별한다. 체화의 주체로써 몸은 세계의 지층이 나의 내면적 다면과 만나는 지점이며, 세계와 나를 이어주는 하나의 통로이다. 이 매개하는 몸은 걷기라는 행위를 통해 스스로를 역동적으로 활성화하면서 공간과 대화한다. 공간에 대한 이해는 단순히 공간으로부터 주어지는 것이 아니다. 공간을 경험하는 데에 있어 내 몸이 얼마나 공간을 받아들일 준비가 되었는가도 매우 중요한 요인으로 작용한다. 예를 들어, 같은 공간도 날씨가 주는 감성에 따라, 그날의 기분에 따라, 다르게 경험되고 이해될 수 있는 것이다. 우리는 역동적인 주체로 공간을 다시 창조할 수도, 재구성할 수도 있다. 우리의 몸은 정동적이며, 능동적이다. 경험의 주체로써 공간의 인식을 변화시킬 수 있다. 단지 우리는 종종 우리의 몸의 능력과 기능을 간과할 뿐이다. 도시를 거닐면서 우리는 얼마나 그 시간, 그 공간에 내 몸을 완전히 맡기는가. 자동차 경적과 가로수의 이슬 머금은 냄새, 지나가는 사람들의 분주한 리듬. 이 모든 도시의 시간에 우리는 얼마나 몸을 기울이는가.

양아치, 아시아의 네 마리 호랑이, Four Asian tiger, 영상, 2020 ~ 현재

보행의 기억

기억은 우리의 공간의 이해를 어떻게 구성할까. 가스통 바슐라르(Gaston Bachelard)는 공간은 우리의 기억과 경험으로 구성된다고 말한다. 도시를 정의하는 추상적인 개념들과 지식은 우리가 살아가는 공간을 해석하는데 충분하지 않다. 하지만 상상적인 공간, 우리의 신체에 기반한 공간적 경험이야말로 공간을 이해하는데 충분한 밑거름이 된다고 말한다. 공간에 대한 인식은 공간의 실재성과, 생각과 상상을 통해서 재구성된 공간의 가상성이 동시에 작동함으로써 완성된다. 그리고 때때로 상상된 공간, 기억된 공간은 실재의 공간보다 훨씬 강력하게 우리의 공간에 대한 지각을 구성한다. 예를 들어, 내가 오래전에 2년간 거주했던 뉴욕은 언제나 빠르고, 종종 화가 나 있었지만, 공허함으로 기억되는 그 남부의 도시와는 다르게, 눈을 감으면 그 공간 모퉁이 하나하나, 그 리듬감과 공기가 생생하다. 해가 뜨고 지는 그 시간의 색과 공기가, 그리고 사람들의 재잘대는 목소리와 그들의 빠른 움직임까지 그 공간을 채우고 있다. 나는 유학 생활의 어려움에 부딪힐 때마다, 그 도시를 하염없이 걸었다. 어떤 목적도, 목표도 없는 표류적 명상으로서의 산책이었다. 이 산책을 통해 나는 몸을 완전히 활성화하여, 모든 감각으로 도시를 탐색하고 받아들였다. 그러는 동안 나의 문제와 고민은 마치 아무것도 아닌 것처럼 느껴졌다. 수업이 끝나고 걸어가는 W4th와 Mercer Street가 만나는 그 길목은 저 멀리서 피자 굽는 냄새가 거리를 채우기 시작하고, 퇴근길에 가벼워진 발걸음이 거리의 거친 표면을 경쾌하게 문지르며, 군청색의 하늘이 머리 위를 채우는 기억이다.

열혈예술청년단, 〈시간걷기〉,인문주간 순성길 퍼포먼스, 2020
(기획, 안무, 퍼포먼스 - 유재미, 공동기획 및 로봇디자인 - 김현주ex-media, SMIT 인문도시사업단 제공)

아마 나는 뉴욕이라는 멀고도 가까운 그 도시를 가장 많은 나의 보행의 기억을 담은 그 순간의 분위기로 기억하는 모양이다. 공간의 기억은 따라서 종종 하나의 체화된 인상(impression) 혹은 공간의 분위기에 의해 크게 좌우되기도 한다. 게르놋 뵈메(Gernot Böhme)는 분위기(atmoshphere)를 가장 우선적인 공간성으로 설명한다. 분위기는 몸이 존재하는 그 순간의 공간이며, 여러 다른 몸의 경험과 위치에 따라 계속적으로 변화하는 상대적이며, 경계가 없는 공간이다. 분위기는 공간이나 경험하는 주체 자체에 종속되지 아니하며, 그 둘 사이를 메우며 중재하는 어떤 안개 같은 상황이다. 공간과 주체의 상대적이고 시간적인 관계를 매개하는 분위기는 우리가 공간과 우리의 몸 사이를 연결해 주는 어떤 보이지 않는 질감을 인식할 때 보다 선명하게 드러난다. 분위기가 말해 주는 시간과 장소, 상황 그 모든 것이 우리의 공간적 경험을 좌우한다. 공간은 분위기로 내 몸의 모든 감각에 아로새겨져 있다. 공간은 기억이 머무는 곳이며, 기억은 공간의 한 모퉁이에서 활성화된다.

체화된 공간(embodied space), 혹은 장소

공간을 기억하고, 인식하고, 재구성하는 능력은 나의 자전적인 기억과 정체성을 구성하는데 큰 부분을 차지한다. 체화된 공간으로서의 나의 서울은 저녁 6시 무렵, 작은 골목길이 두 개가 교차하는 지점에서 나의 작은 강아지가 나를 향해 귀를 펄럭이며 뛰어오는 찰나이다. 저녁 무렵 밥 짓는 냄새가 골목길에 스며들고, 한 블록만 걸어가면 사랑하는 가족들과 소박한 저녁을 나눌 수 있다는 기대이다. 타지에서 외국인으로 인생의 삼분의 일을 살아가는 동안에도 나의 집은 오감으로 공간과 교감하였던 그 순간의 서울이다. 마음으로 계속해서 회귀하는 나의 근원적 공간이며 끊임없이 나만의 이야기가 펼쳐지는 공간이다. 공간 철학자, 도린 매시(Doreen Massey)는 이렇게 체화된 공간, 즉 집(home)으로써의 공간은 언제나 역동적이며, 끊임없이 재구성된다고 말한다. 다시 말해 언제나 같은 지도상의 위치를 지니고 있는 콘크리트의 빌딩이 아니라, 기억 속에서 끊임없이 환기되고, 재구성되며, 주체의 정체성을 구성하는 열린 개념이다. 이러한 장소는 끊임없이 주체로 하여금 이야기를 생성해내며, 그 이야기는 독자들로 하여금 그 장소에 대한 새로운 이해를 이끌어낼 수 있다. 또한 한편으로는 그 이야기들은 독자들을 그 장소에 정동적으로 개입시키거나 분리시키면서 독자들로 하여금 자신만의 기억의 장소들을 탐색할 수 있도록 한다. 장소는 발화자에 의해 살아진 공간이며 삶 안에서 발화의 형태로 끊임없이 구체화된다. 우리는 해시태그. 서울.로 이러한 체화된 공간에 대한 이야기를 공유하려고 한다. 현대작가들의 몸과 경험을 통해서 발화된 서울이 다시 독자의 몸과 기억을 통해 다른 이야기를 끊임없이 생성해내기를 기대한다.

오로제, 거대한 도시 뱀의 배, A Underbelly of Concrete, 2021

확장_해시태그. 서울.

서울이라는 메트로폴리스를 떠올리면, 종종 나의 기억, 혹은 체화된 경험과는 무관한 여러 이미지들이 떠오른다: 천만 인구의 도시, 빠르게 발전된, 젠트리피케이션으로 인한 지역적 불평등과 차별이 만연한 곳, 그리고 어떤 예능 프로그램의 제목처럼 나의 집이 없는 곳. 이러한 이미지들과 함께 쉴 새 없이 지나는 도시의 무채색의 배경 속에서 우리는 종종 서울이라는 공간의 의미를 잃어버리곤 한다. 아마 해시태그. 서울.이라는 프로젝트는 이렇듯 잃어버린 '나의 도시'에 대한 집착에서 시작된 지도 모르겠다. 서울이라는 같은 공간을 살아가며, 닮은 듯 다른 경험을 쌓아가고 있는 우리가 이 도시의 다양하고 숨겨진 모습들에 대해 허심탄회하게 이야기를 나누는 기회를 만들기 위함이다. 특히 이 프로젝트를 통해 우리는 공간에 대한 의미를 '해시태그적으로' 접근해 본다. 이제는 온라인에서 하나의 보편적인 현상으로 자리 잡은 해시태그는 색인적 기호이자 지시대상이라는 조금은 특별한 지위를 가진다. 또한 해시태그는 그 자체로써 사용자에 의해 생성된 콘텐츠를 상징하며, 하이퍼링크를 통한 상호 참조를 제공한다. 예를 들어, '#서울'은 서울이라는 하나의 지시 대상을 가리키지만, 결국 그 해시태그를 사용한 발화자 혹은 수용자의 컨텍스트 안에서 새로운 의미를 생성, 결합하는 지시적이고 색인적인 기호로 작용한다. 서울을 지시함과 동시에 서울에 대한 사용자들의 경험적, 개념적 단상의 패치워크를 상징하는 것이다. 더 나아가 이는 개인의 경험과 단상들을 연결 혹은 결합시켜 집단적 기억을 구성한다. 이렇듯 해시태그적 접근은 체험하는 주체가 드러나는 매우 맥락화된 정보공유의 방식이면서, 유기적으로 연결되어 의미 대상의 네트워크를 구성한다.

김태은, 파노라믹 다이어리(part), 판넬 위 전도체잉크드로잉, 프로젝터, 컴퓨터, 터치보드, 2021

해시태그.서울.은 작가 저마다의 다른 감각적이고 새로운 도시 경험을 제공한다.

도시를 바라보다. 김헌수 작가의 〈글리치 서울〉은 서울의 가장 큰 부분을 구성하는 아파트라는 물리적 인터페이스를 욕망의 시각적 건축으로 바라본다. 신기루와 같은 도시민의 삶과 소유, 그리고 끊임없이 미끄러지는 욕망은 아파트라는 건축적 구조물을 바라보는 작가의 글리치적 시선을 통해 고스란히 드러난다. ***도시를 기억한다.*** 김태은 작가의 〈인위적 풍경〉은 작가의 삶에 고스란히 담긴 서울의 기억과 교차하는 개인의 삶을 감각적인 언어로 서술한다. 기억과 공간성의 관계를 집요하게 파고들며, 공간의 의미가 개인적 경험의 색채에 의해 어떻게 결정되는지, 특히 개인적인 도시의 서사가 그 당시의 도시의 모습을 또 어떻게 반영하는지 작가만의 독특한 언어로 풀어 낸다. 공간이 담고 있는 시간과 개인의 경험에 대해 예리한 관찰에 기반한 시적이고 창의적인 도시 읽기를 제공한다. ***도시를 듣는다.*** 오로제 작가의 〈콘크리트의 노래〉는 도시의 거대한 몸집을 구성하면서도 가장 하찮은 곳에 존재하는 콘크리트의 생명력에 대해 질문한다. 도시는 단순한 일상의 물리적 배경이 아닌, 생명과 비생명이 끊임없이 상호작동하며 진화하는 하나의 거대 몸 혹은 머시너리이다. 그 조직의 하부를 구성하고 삶의 기반을 매개하는, 또 인간의 욕망과 도시의 발전을 상징하는 콘크리트의 소리를 채집하는 방식을 통해 궁극적으로 도시의 울림, 더 나아가 생명성을 이야기한다. ***도시를 매개하다.*** 김현주ex-media 작가의 〈살아낸 공간과 우회로들〉은 도시와 공간을 이해하는 작가만의 독특한 방식을 소개한다.

김헌수, 성수동, 2021

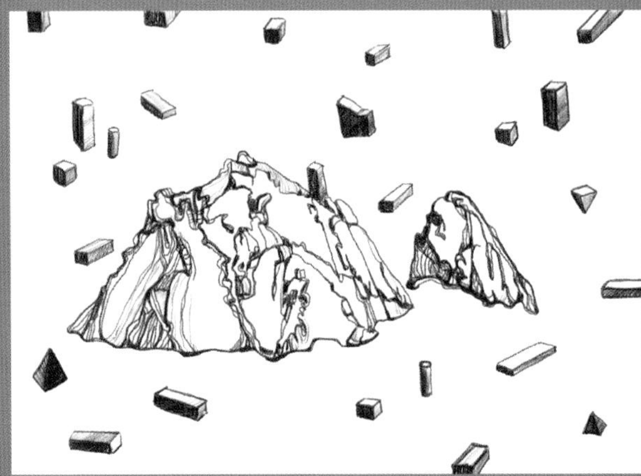

곽윤수, 개인적으로 생각하는 서울의 중심 -북한산의 백운대와 인수봉- 과 그것을 둘러싸고 흘러가고 있는 긴 시간들 중 한 단편, 드로잉, 2021

특히 삶-감각-매개라는 삼차원적 접근을 통해, 작가의 삶을 통해 바라본 공간, 보행과 실행을 통해 감각되는 공간, 그리고 매체에 의해 매개되는 공간이 작가의 작품세계에서 어떻게 드러나는지 소개한다. 작가가 제안하는 공간을 바라보는 세 가지의 방식이 독자의 경험 안에서 또 다른 공명을 만들어 낼 수 있을지 기대해 본다. ***도시를 겹쳐보다.*** 증강현실이라는 매체를 통해 공간이 담은 각기 다른 찰나의 시간을 겹쳐 보여주는 작업을 하는 전지윤 작가는 〈썸.플레이스〉를 통해 작가만의 방식으로 독자들에게 공간에 대한 질문을 던진다. 작가의 시선으로 채집된 서울 곳곳의 공간들의 이미지는 어쩌면 그저 일상적 골목의, 도시 한 켠의 모습이지만, 작가가 던지는 수수께끼 같은 질문들은 그 이미지들을 다시 생경하게 만든다. 수없이 변화하는 공간의 찰나들을 독자들에게 던져 줌으로써, 끊임없이 개인의 경험 안에서 변화하고, 재 구성되는 공간에 대한 인식을 꾀한다. ***도시를 상상하다.*** 작업 안에서 개인의 입체적 정체성을 드러내고자 하는 곽윤수 작가의 〈서울 나이테〉는 작가가 인터뷰한 서울의 보통 사람들의 이야기를 통해 서울을 상상한다. 개인적 내러티브에 담긴 평범한 삶을 살아가는 어떤 사람들의 이야기들을 통해 도시의 역사의 단편과 감각을 회화적으로 그려낸다. ***도시를 플레이하다.*** 마지막으로 양아치 작가의 〈아시아의 네 마리 호랑이〉는 독자들에게 아시아 문화에 깊숙이 자리한 상상과 상징의 생명체, 호랑이로 도시를 플레이해볼 수 있는 매뉴얼을 제공한다. 가상과 현실을 넘나드는 상징적 존재를 입고, 그 존재가 매개하는 사회 문화적 패러다임을 질문하고, 관계를 낯설게 함으로써, 익숙한 도시의 삶에서 다르게 '놀아보기'를 제안한다.

해시태그.서울.은 이렇듯 현대예술작가 7인의 몸으로 살아진 서울, 더 나아가 우리가 공간을 경험하고 바라보는 방식에 대한 이야기이다. 그들의 다양한 도시의 경험 방식이 독자의 하루 안에서 작은 공명을 만들어 내기를 바라며 이 책을 기획하였다. 현대 예술가들의 입을 통해 서울이라는 가끔은 아우르고, 때때로 배척하고, 종종 고립시키는 이 애증의 공간을 따뜻한 사적 언어로 풀어낼 것이다. 개인의 경험 안에서 녹아 나온 집단의 역사와 도시의 발전 과정, 그리고 현대 작가들은 그러한 도시 경험을 어떻게 자신의 작업들을 통해 풀어내는지에 대한 전 과정을 그리는 도서로써, 서울이라는 가깝고도 먼 도시에 대한 예술적 고뇌, 탐닉, 놀이 등을 담는다. 물론 각자의 몸과 기억에 아로새겨진 공간의 감각은 마치 파편화된 조각들의 퍼즐처럼 딱 들어맞지는 않을 것이다. 하지만 가장 사적인 사유와 감각으로 재구성된 서울은 다시 독자들의 기억과 경험 안에서 서울에 대한 새로운 영감과 자극으로 조금을 헐겁지만 날카로운 기억의 네트워크의 한 장을 건축할 것이다. 독자들은 예술가들이 도시와 어떻게 관계를 맺는지 바라보면서, 자신만의 새로운 '도시와 관계 맺기'를 시도해 보길 바란다.

참고문헌

Augé, M. (2008). *Non-places: Introduction to an anthropology of supermodernity*. London: Verso.

Bachelard, G. (1994). *The Poetics of Space*, trans. Maria Jolas. Boston: Beacon Press.

Böhme, G. (2017). *Atmospheric architectures: The aesthetics of felt spaces*. edit and trans. A.-Chr. Engels-Schwarzpaul. London; New York, NY: Bloomsbury.

Massey, D. B. (2005). *For space*. London ; Thousand Oaks, Calif. : SAGE

Tuan, Y. (1977). *Space and place: The perspective of experience*. Minneapolis: University of Minnesota Press.

Wegenstein, B. (2006) *Getting Under the Skin: The Body and Media Theory*. Cambridge, MA: MIT Press.

글리치 서울
김헌수

서울은 도시다.

도시는 많은 사람들이 중첩된 공간에 걸쳐 살아가는 곳이며, 그로 인해 다양한 형태의 개성과 욕구가 만나 갈등을 빚고 절충을 하며 영위되는 시스템이기도 하다. 수많은 개개인의 욕망들이 만나 만들어내는 화학작용의 과정이며 결과물이다. 각각의 도시는 구성원들의 복잡한 욕망의 상호작용 결과로 다른 도시와는 다른 그 도시만의 특징을 만들게 된다.

서울을 서울이게 하는 것

서울은 규모 면에서 세계에서도 손꼽을 만한 거대도시이자 현대적인 도시 중 하나이다. 비슷한 규모의 다른 거대 도시와 비교하여 서울이 가진 개성은 무엇일까.

아파트의 도시

한눈에 들어오는 서울의 특징은 콘크리트로 만들어진 구조물들이다. 콘크리트 구조물들이 가득한 풍경은 현대 도시의 전형이지만 서울은 그중에서도 유독 특정 공동 주택의 유형 -아파트- 이 높은 비중을 차지한다.

수많은 콘크리트 구조물들 중에서도 높은 비중을 차지하는 것은 특정 유형의 공동주택 - 아파트이다. 파크, 리버뷰, 포레, 센트럴이 들어간 브랜드 아파트들. 유사한 규모의 타 대도시와 비교해도 서울의 경관에서 아파트가 차지하는 비중은 압도적이다. 서울이 거대한 숲이고 빌딩들을 나무에 비유한다면 아파트는 서울을 점령하고 있는 대표 수종 일 것이다.

주거의 터전 혹은 소유의 대상

2019년 기준으로 서울에는 152만 채가 넘는 아파트가 있고 3인 가족을 가구의 기준으로 잡을 경우 서울 인구의 절반 가까운 숫자가 아파트에 거주하고 있으니 공히 서울의 표준적인 주거 형태이기도 하다.

영어 Apartment의 원래 의미는 공동임대주택을 의미하지만, 대부분 서울에 존재하는 아파트는 개인인 누군가가 소유권을 가지고 있는 공간이다. 서울에서 아파트는 거주 공간의 의미와 더불어 소유의 대상이라는 의미가 함께 한다.

언젠가부터 아파트라는 단어를 보거나 듣게 되면 주거 공간의 이미지 보다 소유 대상의 이미지가 먼저 떠오른다.

소유에 대한 열망

소유의 대상인 아파트는 곧 욕망의 대상이기도 하다. 사람들은 아파트를 소유하기를 열망한다. 영끌, 영혼까지 끌어모아서라도 아파트를 사야 한다고 한다. 아파트를 소유하기 위해 수십 년의 삶을 금융권에 저당 잡히더라도 대출을 얻어 입지 좋은 곳의 아파트를 사야만 한다고 한다. 여기서 좋은 입지란 교통, 교육, 의료 등 거주의 편의를 의미하기도 하지만 그것보다는 '장차 시세가 많이 오를' 지역의 의미다.

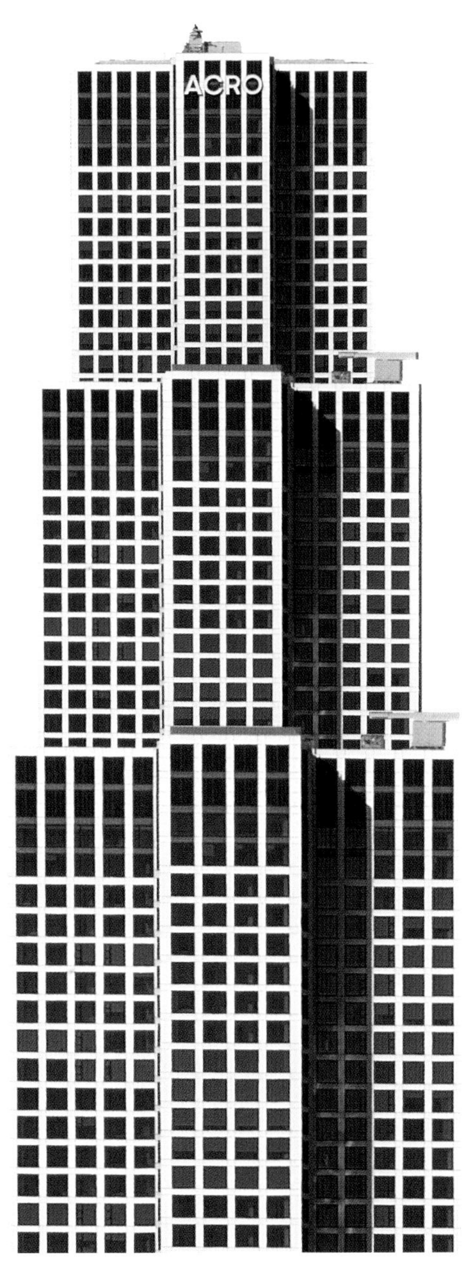
ACRO

ACRO RIVER VIEW

갤러리아 포레
GALLERIA FORÊT

아파트라는 성

때때로 어떤 아파트들은 성채와 비슷하게 느껴진다. 도성이 도시의 안과 밖을 경계짓 듯 아파트는 아파트 안의 사람들과 아파트 밖 사람들을 나누어 놓는다. 산을 가리고 하늘을 찌를 듯 높게 솟아있는 모습은 재력과 권력의 상징처럼 느껴진다. 왕정 시대의 도성과 궁궐이 그랬던 것처럼.

DMC 센트럴
IPARK
DMC 센트럴
IPARK

구암
101

***글리치**
Glitch. '밀리거나 미끄러지다'라는 뜻을 가진 독일어의 glitschen, 이디시어의 gletshn에서 유래했다. 영상에서 일시적인 화면의 깨짐 등을 지칭하며 의도적으로 연출하여 표현의 수단으로 삼기도 한다. 주로 환각, 환상 등과 관련된 이미지의 연출에 쓰인다.

인위적 풍경

김태은

사라지는 원본

나는 서울에서 태어나 유년기시절을 보내고 성인이 된 지금은 경기도를 중심으로 살아가고 있다. 경기도에서 광역버스를 타고 서울을 오가거나 자차로 이동할 경우 기본적으로 1시간에서 1시간 30분 정도는 늘 소요된다. 경기도민에게 이 시간은 아주 자연스러운 이동거리의 시간이다. 서울의 위성도시라 불리우는 경기도에 살지만 삶의 중심끈은 서울에 늘 두고 살다 보니, '서울을 나간다'라는 표현을 쓰게 되고, 이내 서울을 왕래하기 위해서는 휴대전화 충전상태를 살피게 되고 보조배터리를 완충해 가방에 넣고 나가야 맘이 편하다.

굳이 지면을 통해 도시를 기억하려 하여야 한다면 서울과 경기도를 오가는 이동거리처럼 현존하는 공간과 부재하는 공간 사이에서 일어나는 간극 때문일 것이다. 우리의 기억은 시간이 지나면 일부는 소멸되고 다르게 재구성되거나, 완전히 다른 기억으로 변형된다. 아마 서사적 기억을 잘 해내는 사람일수록 현존과 부재 사이의 사라진 정보를 찾아 메꾸는 것에 뛰어난 감각을 지닌 사람일 것이다. 도시에 대한 나의 기억은 대부분 모두 저장되지 않고 소멸돼 있으며 작게 기억하는 도시의 일부는 모두 유년기 시절, 10대 전 후반에 집중돼 있다.

종로, 검정색 사각면체

내가 태어난 해는 1971년 겨울이었다. 서울에서 태어나 유소년 성장기를 주로 서울에서 보낸 탓에 나의 기억들은 70-80년대 서울도시개발의 시간들과 많은 부분들이 중첩된다.
내가 살던 동네는 성북구 일대에서 돈암동-길음동-수유리를 거치는 지역으로써 주로 나의 동선은 주택가-동네 뒷산-마을 시장-학교 주변 정도가 활동 범위의 전부였다. 이동 수단이라고 해봤자 주로 도보를 많이 이용하였기 때문에 풍경들은 주로 지평선의 낮고 느린 굴곡들이었다. 키가 비슷한 건물들로 이어지는 매우 완만한 곡선들. 이게 전부다. 그 후 이동 수단은 도보에서 버스로 바뀌게 되는데 이때부터 도시라고 느끼는 장면들이 눈에 들어오기 시작하였다. 물론 가끔 택시나 버스를 이용한 적이 있었지만 매일같이 반복된 일상은 아니었으므로 시선에 의한 공간 기억이 남아 있지 않다. 주로 매일 버스를 이용해 종로일대를 오고 간 반복적 시각 정보들만이 나의 기억 속에 고스란히 보존돼 있다.

나는 10세가 되는 해(1980년)부터 종로3가에 위치한 한국기원(삼일빌딩)에 프로 바둑 기사가 되기 위한 바둑 문하생 생활을 2년 남짓 보내게 된다. 미아동-돈암동-혜화동-종로까지 이어지는 길에서 스쳐 지나가는 차창 밖 풍경은 매우 규칙적인 함수 그래프로 체화되어 있다.

그림 1

좁은 도로에 가로세로 수직 수평이 잘 맞지 않는 기와집과 창문들은 도로가 넓어지면서 일정하게 직조된 짜 맞춘 시멘트 모듈로 변화한다. 도로가 점점 넓어지면서 동일한 패턴의 건물들이 찍어내듯 나열돼서 버스 창문 밖을 스쳐 지나갔다. 2차선 도로에서 4차선 도로로 확장되면서 완만한 지평선은 직선적이고 수직과 수평의 격차가 큰 차이를 보였다.

부모님은 당시 혼자 버스를 타고 다녀야 하는 나에게 항상 '~ 앞에서 내려라, 00육교 지나면 내려라' 등의 지형지물을 이용한 하차지점을 설명하시곤 하였다. 어린 소년에게 도시는 비슷하게 복제된 여러 건물들 가운데서 특이하게 생긴 지형지물을 구분해야 생존할 수 있는 긴장된 공간이었다. 억지로 특이점을 찾으려 애쓴 기억도 난다. 육교와 고가도로, 가장 큰 빌딩, 간판의 색깔, 특이한 모양의 시각적 지표들은 나에게 도시를 횡단하기 위해 필요했던 시각 기호들이었다. 그러다 가끔 잠에 못 이겨 졸거나 있어야 할 곳의 건물 형체가 변경이 되면 영락없이 하차 지점을 놓쳐 수많은 시각 지표들 사이를 휘젓고 다녔던 적이 많았다. 하지만 고마운 것은 종로 어느 곳에 내려도 늘 한국기원 건물을 찾는 것에 큰 어려움이 없었다. 그 이유는 당시 삼일빌딩이 종로에서 가장 큰 빌딩이었기 때문이었다. 어느 곳에서 바라보던지 주변 건물들을 뚫고 우뚝 솟은 검은색 빌딩은 당시 나에게 가장 상징적인 수직적 시각 지표였다. 삼일빌딩은 1985년 여의도에 63빌딩이 세워지기 전까지는 한국에서 가장 높은 건물이었다.

현재 삼일빌딩은 더 큰 빌딩들에 가려져서 어느 곳에서 봐도 보이는 확연한 지표가 되지 못한다. 그래도 서울 한복판에 50년 넘은 건물

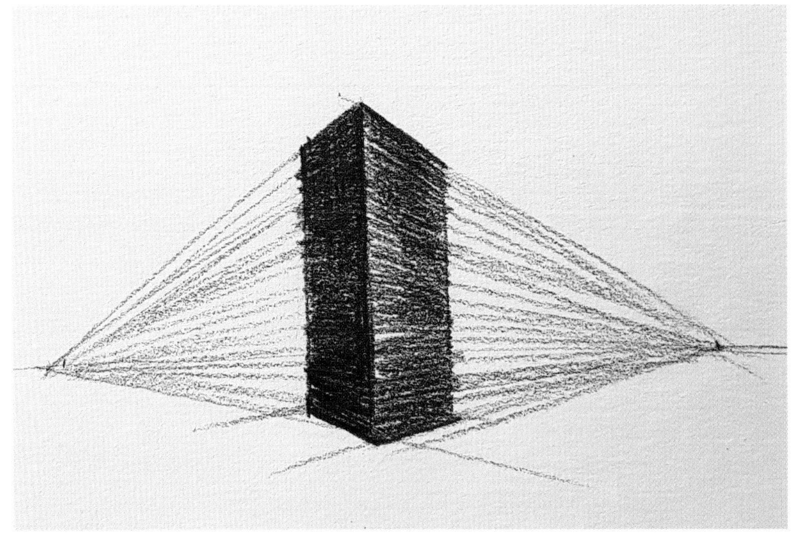

1970년대 삼일빌딩

이 아직 남아 있다는 것은 매우 이례적인 일이다. 차선의 개수가 늘어나는 동네에서 차도로 이어지는 길목이나, 4차선 도로 사이에 들어서는 대규모의 아파트 단지와 상권의 변화는 나의 기억 속에 남겨진 원본들을 하나둘씩 사라지게 했다. 버스를 타고 오가며 보았던 여러 길과 건물의 모양은 거의 다 사라졌거나 바뀌었다. 동네의 극장, 은행, 교회, 학교들은 모두 이런 동일한 패턴으로 사라졌다. 특히 아파트 단지의 출연은 블록 단위로 지어졌기 때문에 그 변화의 폭이 무척 크다.

한국모더니즘건설의 변화과정 속에서 나의 기억 속 장소들을 대부분 삭제되었다. 공간이 부재한 구멍에 기억만 남아 있을 때 감당해야 할 시각적 불일치는 실재와 가상의 붕괴로 이어진다. 아마 내가 20대 청년이었다면 이러한 후폭풍은 좀 덜 하였거나 없었을 수도 있었겠지만 10대 소년의 시선에 담긴 도시 풍경의 첫인상은 제법 강하게 각인된 탓에 기억 속에 남아 있다. 어쩌면 그 도시는 10대 소년이 당연히 있어야 할 공간이 아니지 않았나 하는 생각도 해본다.

아파트 단지와 확장된 도로들. 큰 차도를 제외한 골목길의 대부분은 건물과 함께 재편되어 사라져 갔다. 정확하게 표현하자면 사라진다라기보다 교체되었다는 표현이 더 정확하겠다.

사라졌다고 보는 것은 나의 주관적 시각 표현일 뿐, 도시개발 주체의 입장에서 보면 도시는 사라짐과 동시에 새롭게 다시 태어나는 것이다. 신(新)공간의 탄생 순간. 그 순간의 기억을 담은 사람들의 눈에는 그 새 터가 바로 그들의 머릿속에 저장하는 도시 기억의 원본이 되는 것이다. 나의 도시에 대한 기억은 도시 개발과 함께 사라졌지만 동시에 그 누군가의 기억에서는 새롭게 만들어진 장소가 시작되는 상호보완적이며 중성적인 교차점이 되는 것이다. 어쨌든 나의 도시기억은 그 개발 이전의 기억에서 시작하였으므로 나의 입장에

신탁은행에서 생애 첫 통장을 만들고 나와 은행 앞에서 기념촬영. 7세때의 모습

과거 신탁은행은 현재 빌딩의 모양만 남아있다. 입구는 길음역 출구에 막혀 보이지 않는다.

서 본다면 도시 원본은 이미 사라졌다. 다시 기억을 소환하려면 오로지 유년기적 찍힌 낡은 사진 몇 장에 힘겹게 의존할 따름이다.

사라진 원본의 바닥, 도시의 기억을 찾아

10대 소년은 왜 바둑을 배우러 종로까지 버스를 타고 가야만 했을까? 그 소년은 바둑이 좋아서 운명에 이끌려 스스로 버스를 타고 한국기원이 위치한 삼일빌딩을 홀로 찾아간 것일까? 고도 경제 성장 시기인 70년대의 도시에 살았던 가장들의 경쟁은 가부장적 위치를 유지하면서도 급하게 성장하는 경쟁에 뒤처지지 않으려 고군분투했던 시기였다. 1980년에 초등학교 3학년 진급을 앞둔 나는 어깨동무 잡지사 주최로 개최된 1회 전국 어린이 바둑대회에 나가 뜬금없이 상을 받아 왔다. 그때 집에 가져온 상금이 10만 원. 당시 고군분투의 현장에 계시는 아버님의 눈에 내가 가정에 가져다준 상금 10만 원은 어떤 의미가 있었을까? 아마 도시를 살아가는 40대 가장의 욕망 한가운데 적지 않은 파장을 주긴 했을 것이다.

아버님의 내면에 솟아오른 욕망에 대한 결과는 나에게 버스를 타기 위한 토큰(token)을 주머니에 넣고 다니게 했다. 이때부터 나의 도시는 소위 도시가 성장하는 매연 냄새와, 어질어질 차멀미와 함께 그 궤를 같이한다. 바둑을 배우러 다녔던 문하생 시절, 종로 3.1 빌딩과 성북구 집을 오갔던 시절은 혹독한 차멀미와 매연, 비틀비틀 술 취한 도시인들의 어두운 퇴근길 속에 같이 끼어 있었다. 그 어두운 퇴근길 풍경은 하루 종일 바둑판만 바라보았던 격자무늬 그리드 위에 얹혀있다. 지금도 잊을 수 없는 것은 미아리고개를 지나 매원 초등학교 지나면서 시작되는 내리막길이 있는데 버스가 늘 이 지점에서 급우회전을 하게 되는 커브 길이 있다. 어느 늦가을 저녁, 급회전의 원심력이 작용했는지 술 취한 아저씨의 입에서 튀어나온 식물성 안주로 추정되는 이물질이 나의 오른팔에 살포시 내려앉았던 기억이 선명하다. 버스 안 어두운 노란 조명 아래, 그 흐느적한 풀은 내 오른팔 위에 피곤한 듯 푹 늘어져 있었다.

당시 나의 도시는 주로 아침에는 스피커에서 나오는 새마을운동 노래와 함께 도시 골목을 청소하고 등교하는 것으로 시작하여 오후에는 버스를 타고 사람들로 붐비는 명동거리와 종로거리를 헤매고 다녔다. 그리고 해 저문 저녁에는 퇴근하는 어른들과 함께 집에 도착하였다. 청염한 블루톤의 아침에서 하얀 정오의 하늘. 그리고 저녁에 누런 백열등까지의 하루가 점진적으로 변화되는 극히 반복적인 일상이었다.

그렇게 프로 바둑 기사를 만들어 가계에 보탬이 되고 싶어 하시는 아버님의 요구에 따라 나는 착실히 바둑을 배우기 시작하였다. 방학 때는 하루 평균 8시간을 바둑판에 앉아 있어야 했다. 한 해가 지나자 체력에 경고등이 들어오기 시작했다. 조훈현, 조치훈, 서봉수 같은 쟁쟁한 대표급 프로기사들이 오고 가는 작은 공간 안에는 바둑판과 돌만 있는 게 아니었고, 자욱한 담배연기도 같이 있었다. 지금이야 아시안 게임에 바둑이 종목으로 선택되었지만 당시에는 그런 개념이 아예 없어서 바둑 또한 고도의 훈련된 체력이 필요하다는 사실을 모르고 있었다. 나는 책가방에 만성빈혈 약을 늘 넣고 다니면서 먹어야 했다. 도시 안에서 어른들의 경제성장 레이스에 나도 같이 뛰고 있던 중, 체력은 바닥을 보이고 있었고 부모님의 만류로 그만 바둑 프로기사 경쟁에서 내려오게 되었다. 경쟁 레이스를 그만두면서 아! 꿈을 이루지 못하였구나 하는 좌절(?) 따위는 나에게 전혀 없었고 이제 진정 충분한 잠과 쉼을 누릴 수 있구나 하는 기쁨이 물밀듯 찾아왔다.

하지만 이것도 잠시. 동네마다 우후죽순 생겨나는 사교육 시장의 팽창을 피해가는 것은 불가능했다. 각 동네마다 속독, 웅변, 미술학원이 모든 동네의 간판들을 장악했다. 도시 중년 가장들은 아파트와 부동산을 잡기 위해 위로 위로 거침없이 달려가고 있었고 그 집 아이들도 학원 안에서 그들끼리의 리그를 준비하고 있었다. 당시를 떠올리면 지금의 사교육 시장의 초기 모델이 아니었나 하는 생각도 든다.

내가 14세가 되던 해 (1984년) 우리 집은 대전으로 모두 이사를 갔다. 아버지의 사업 경쟁 계획 변경이었는지 모르지만 우리집은 자녀 교육을 위해 모두 대도시로 옮겨가던 시기의 부모들과 반대로 역행한 것이었다. 우리 가족은 박완서 작가의 단편소설에 등장하는 80년대 중산층의 일반 가정에서 묘사된 황금알을 낳는 거위를 버리고 대전으로 내려갔던 것이다. 아무튼 아버지는 아파트 입성의 꿈을 대전에서 이루셨고 흙먼지 가득한 경부고속도로를 타고 우리 모두를 데리고 내려가셨다. 그냥 소박하게 한강만 건너도 충분했을 텐데 굳이 고속도로까지 타고 멀리 가실 필요가 있었을까. 당시 대전은 서구가 새롭게 개발되면서 유성 일대가 신도시로 막 건설되던 시기였다. 80년대를 기준으로 보면, 서울과 대전은 같은 도시라 할지라도 그 형태나 모양에 있어 많은 차이를 보였다. 신도시와 아파트가 생겨나고 있었지만 서울과 10년 정도 차이 나는 건축방식이었다. 저 멀리 창문 밖에는 나지막한 시골집과 농경지가 그대로였고 거기에 그냥 아파트가 건설되는 풍경이었다. 가수 김수철씨가 졸업한 서라벌 예술대학이 중·고등학교로 바뀌면서 생긴 서라벌 중학교에 1학년으로 다니며 나름 문화적 자부심을 가지고 있었는데, 이런 감수성 충만한 사춘기 소년에게 갑작스럽게 닥친 시골 풍경은 문화적인 패배감을 안겨주었던지 주말이면 버스를 타고 대전의 번화가를 배회하면서 불만을 해소했던 것 같다. 지금 생각해 보면 서울에서와 비슷한 곳을 찾아 해맸던 것이 아닐까 생각이 든다. 당시엔 동네 여기저기 황토색이 무척 많은 걸로 기억된다. 이른 아침, 이곳저곳 집을 짓는 소리를 들으며 등교하였고, 학교에 가서 조차도 학교의 길을 넓히고 잡초 뽑기로 체육시간 대부분을 보내곤 했다.

대전으로 이사한 후 몇 해 지나 다시 서울을 방문하였을 때는 이미 개발과 함께 상업자본이 강남으로 몰리기 시작한 시기였다. 86년 아시안 게임을 성공리에 마치고 88올림픽 준비가 한창인 서울은 그 변화의 폭이 어느 때보다 컸다. 당시 미술을 배우러 방학 때마다 서울 선생님댁을 방문하곤 했는데, 서울 노선버스 외관의 색채가 자주색으로 바뀌었고, 건물들 외관의 페인트와 간판의 재료가 무척 세련되게 바뀌어 가고 있었다. 대전과 서울 간 나의 이동 수단은 고속버스였기 때문에 강남고속버스터미널을 중심으로 상권이 몰리고 있음을 직감할 수 있었다. 무슨 SF 영화에 나올법한 기울기 에지(edge)를 뽐내는 강남고속버스 터미널 건물은 평소 보기 드문 기울기를 냈기 때문에 매우 인상적이었다. 마구 정신없는 시장 바닥과 달리 화려한 광택이 한 꺼풀 덮여진 포장된 도시의 표정들을 보게 되면서, 서울은 이미 크게 달라져 가고 있지만 나는 이미 서울시민이 아니라는 박탈감과 소외감이 가슴 한편에 생기곤 했다.

나에게 미술을 가르쳐 준 선생님은 정혜옥 선생님으로, 한국전쟁 이후 월북하신 북한에서 유명한 인민화가 정종여 선생님의 따님이셨다. 정종여 화백께서는 평양미술대학교의 교수이셨는데, 1984년도에 부음 소식이 남한 신문에 실릴 정도로 남, 북 모두 인정한 동양화가셨다. 당시 미술 수업 시간에 신문을 통해 그 소식을 접하시고 눈물을 흘리시던 선생님을 옆에서 지켜보았던 기억이 있다. 정혜옥 선생님 화실은 종로 세운상가 아파트에 있었다. 세운상가 아파트로 올라가려면 1,2층 계단을 거쳐 올라가야 했는데, 참으로 많은 성인 잡지 호객꾼들에게 당해서 정신이 없었고 물리적인 잡힘을 피해서 요리조리 피해 다녔었다. 그 통로들은 올리브그린 톤이 들어간 어두운 회색 계단과 아파트 벽의 색들이었다. 선생님께서는 얼마 안 있어 대치동 은마 아파트로 화실을 옮기셨다. 그곳은 호객꾼들이 없는 밝은 곳이었다. 하얗고 밝은 톤의 공간이 햇빛에 빛나는 곳이었다.

나의 머리에는 왜 이런 색채의 대비로 기억되는 것일까? 무엇보다 페인트의 제품개발이 효과를 본 것이 아니었을까? 강남 개발로 아파트 건설시장에서 페인트 시장은 동시 호황을 누렸을 것이다. 이쯤에서 도시 개발과 페인트 회사 간의 관계가 궁금하다. 지금도 이 관계는 유효한 것이 당시의 건설 아파트는 지금 재건축을 앞두고 있기 때문이다.

세운상가 지하복도

은마아파트 외관

지금 돌이켜 보면 도시를 처음 체화하기 시작한 10대의 나에게 종로 일대는 그다지 맞지 않는 장소였다. 보통 소년기에 알맞은 공간은 학교와 동네, 학원 정도가 아니었을까. 또래 아이들과 공간의 크기가 보편적으로 받아들여지는 공간의 크기가 존재하기 마련이다. 가끔씩 거대한 도시의 스케일을 보고 올 수는 있어도 매일 반복되는 나의 시각에는 커다란 교차로 보다 구멍가게의 마을이 더 적합했을 것이다. 나의 10대 시절은 내 몸에 비해 필요 이상으로 거대하게 커져 버린 도시공간 안에 혼자 놓여져 있었던 탓에 일반적인 도시의 정서가 만들어지기 어려웠던 것 같다.

조립되는 도시의 부분 기억과 순환고리- "다시 그 자리에"

기억에 남는 장소는 어떤 기능을 하는 것일까? 살면서 한 번 머물다 간 장소에 우연히 다시 발걸음을 하게 될 때, 그리고 그 장소에 여러 번 가게 되어 우연이라고 하기 어렵다면 장소가 운명적으로 나를 불렀다는 느낌이 들 것이다. 기억에 남는 장소를 방문하는 행위는 기억의 흔적들이 레이어처럼 겹겹이 쌓아져서 나의 과거 에피소드들을 소환해 내고 다시 묻기를 반복하는 기억 조립 과정이라 할 수 있다. 러시아 영화감독 쿨레쇼트가 실험한 장면들의 결합이 만들어내는 공간은 인위적으로 부분들을 조합해 하나의 완성된 풍경을 만들어 사람들의 머릿속에 심는데 성공하면서 러시아 몽타주의 대표적인 이론이 되어 버렸다. 부분적으로 조립된 이미지들이 완성하는 전체적인 공간의 형성이 불러오는 하나의 완성된 풍경. 거기에는 객관적 정보 이상으로 주관적 정보가 많이 개입이 되기 마련이므로 사실과 다른 왜곡된 상태가 더 많다고 할 수 있다. 불완전한 기억이지만 스스로 이 기억이 정확하다고 확신하는 것에는 부분 기억들이 서로 상호작용을 주고받으며 불완전한 부분을 채워 넣은 접착제 역할을 하는 것이 아닐까?

서울에서 내 기억 속에 남겨진 몇몇 장소들을 2000년대 이전과 이후를 기점으로 나누고 정리해 보았다. 장소의 사건들이 남겨준 정서, 트라우마, 미스터리 등의 귀결되지 못한 기억들은 불안전한 상태로 머물러 있게 되고 반복적으로 이루어지는 재생 과정을 거치면서 스스로를 보호하기 위해 변형된 것이다.

한 장소를 몇 번 이상 다시 방문하게 된다면, 내가 다시 이곳에 와 있는 이유가 무엇일까? 혹은 나를 다시 이 자리에 부른 목적이 무엇일까 궁금해진다. 문득 장소들 사이에는 작은 연결고리가 장치되어 있어서 장소끼리의 연결이 맺어지고 끊어지는 복잡한 관계와 규칙들이 우리가 모르는 사이에 존재하는 것이 아닐까. 그 맺어지는 매듭이 정교하게 짜인 고리를 가진 세포의 일부 같다는 생각도 든다.

나의 머릿속에는 고가도로가 없어져 도로의 모양이 바뀌고 건물이 사라지고 그 자리에 다른 건물이 들어선다 해도 많은 시간 동안 겹겹이 쌓아 올려진 개인 서사들과 경험 기억의 덩어리들이 보이지 않는 기둥처럼 그곳의 좌표가 되어 여전히 존재한다.

시간은 한곳으로 흐르는 벡터를 가진 직선적인 운동을 하고 이 구간을 지나는 속도는 반대로 상대적일 수 있다. 어느 순간엔 시간이 섬광같이 지나가고 어느 지점에서는 나 혼자 멈춰있는 것처럼 시간이 다르다는 느낌이 있다. 학자들은 개인별로 기억을 재생하는 능력의 차이가 가져오는 결과라고 하지만 만약에 시간의 속도가 모두 일정한 절댓값이 아니라 어느 영역에서는 가변적인 속도 값을 지니게 된다면 어떤 현상이 벌어질까? 우리는 흔히 겪는 데자뷔 현상. 꿈에서 본 공간에 다시 가보게 되는 경험들을 종종 한다. 이러한 현상을 어떻게 명확히 설명할 수 있을까?

에피소드	장소와 GPS 좌표	에피소드
1983 프로야구 싸인볼 당첨되어 버스를 타고 혼자 삼성동에 감	삼성동 무역센터 근처 (37.51299112288292, 127.05975359063991)	2010 미디어 아트 회사를 1년 다님
1980 고교 야구 관람 (동대문운동장)	동대문 디지털 프라자 (37.56689975412176, 127.00955864185549)	2016 DDP에서 전시함 (메이드 인 코리아)
1983-1984 동네야구리그 고정장소	서라벌 중,고등학교 밑 하천 (37.60345747875768, 127.02493754000693)	2015 VR 단편영화 촬영 (촬영 시 꼬마 귀신을 봤던 기이한 장소)
1980-1982 프로바둑기사를 위한 문하생 생활	삼일빌딩 (37.568804073781145, 126.98714635349899) 종로-청계천 고가 (37.56926305313859, 126.97871211301992)	1999 영화세트장 촬영 후 귀가 중 도로한복판에 차를 세워놓고 긴 잠을 자다
1991 미술학원 강사 1994 퍼포먼스 아르바이트 1995 뮤직비디오 촬영장소	압구정 갤러리아 백화점 (37.528308571379384, 127.04030941305841)	2008 2010-2011 광고 감독 생활 (베이그)
1989-1990 미술학원 입시생 1994 광고회사 아르바이트 1998 영화 쉬리 로케이션 스텝으로 참여	청담사거리 (37.5243927985971, 127.04730900030418)	2006 3회 개인전 (트리아드 미디어 갤러리) 2010 패션디자이너와 협업 (한국패션문화페스티벌)
1984-1985 미술학원 1991 대학 입학기념으로 오디오를 구매하던 곳	세운상가 (37.569555883263085, 126.99515389582776)	2006 세운상가 내 전시 참가 2008-2021까지 한일전자 주 이용고객 2006-2021까지 우영공업사 주 이용고객

시간의 속도와 공간의 위치점이 대부분 일치하지만 간혹 불일치할 경우가 생겨나(이유는 알 수 없음), 시간의 속도와 공간 사이에 빈틈이 생긴다면 우주는 어떠한 방법으로 틈을 메꾸려 할까? 시간의 빈틈은 곧 존재가 없는 것을 의미하므로 사물이나 사람의 존재가 사라지는 부재의 틈이 되기 때문에 이 틈을 메꾸려고 다른 곳의 시간을 떼어와 빈틈을 메꾸는 것은 아닌가? 그것은 이미 경험한 시간일 수도 있고 앞으로 내가 조우할 시간일 수도 있다. 가끔 이런 생각을 하게 되면 너무 빠르게 살지 말아야겠다는 다짐을 조심스레 하곤 한다.

합리적으로 조직된 풍경

나는 한 장소의 도시에 정착하여 살지 않았다. 정확하게 표현하자면 정착하여 살지 못했다. 도시에 인구가 유입되고 이탈하는 흐름에는 대부분 직업적 요인이 크다고 볼 수 있다. 경제구조와 산업의 변화가 컸던 대도시 서울의 경우나 세종시청사에 인구 유입, 대규모의 산업단지 조성에서 나타나는 인구의 흐름은 도시 풍경이 정착되지 못하고 본인의 의지와 무관하게 이동하게 됨으로써 도시를 필요에 따라 부분적으로 기억하는 현상을 야기한다. 하지만 요즘은 새로 생기는 신도시를 포함한 대도시의 풍경이 매우 부분적이어도 큰 무리가 없는 듯하다. 바로 프랜차이즈 기업들의 진출로 그러하다. 카페, 극장, 쇼핑몰 등 대규모의 상권들은 찍어내듯 도시의 교차로 큰 길가에 동일한 모양의 건물을 복제해 나가고 있다. 이렇듯 인위적인 산업구조에서 만들어낸 풍경들은 몇 호점 건축처럼 복제되어 풍경을 비슷하게 만들어가면서 벤야민의 기술복제시대를 충실히 그려내고 있는 것이다. 하지만 이러한 기술복제시대에 유일하게 변화를 줄 수 있는 것은 도시 이전에 이미 존재했던 자연이 만든 순환 구조이다. 자연의 풍경은 모두 같은 듯 하나 미묘하게 다르다. 그리고 도시의 인위적 풍경 위에 존재한다. 매년 반복되는 기후의 반복과 이에 따른 자연 징표들은 인간이 인위적으로 축조하는 공간들과 확연히 다른 풍경을 만들어내고 있다.

울산대학교에서 계약직 교수로 재직 중에 경험한 도시 풍경은 좀 독특하다. 2년간 서울과 울산을 오가면서 일한 적이 있었는데 여름 휴가철이 되면 울산 현대중공업 근로자가 모두 서울로 올라간 탓에 텅 빈 유령도시 같은 풍경을 본 적이 여러 번 있었다. 울산시에서는 늦가을로 넘어가는 10월 ~11월 사이에 삼호동 지역을 지나면 늘 하늘 위를 가득 메운 까마귀 떼의 장관을 목격할 수 있다. 차를 타고 가다 보면 기나긴 4차선 도로와 이어지는 전봇대와 전선들 위에 까만 점들의 파티클 향연을 볼 수 있는데, 무엇보다 도시의 외곽선 위를 까마귀 떼가 검정 레이어 형태로 올라앉아 있는 모습이 매우 인상적이었다. 마치 전선들 위에 검정 점들이 꽤 밀도 높게 그려진 점

묘화 같다. 이러한 도시의 모양 위에 그려진 자연의 그림은 매년 변함없이 반복된다. 지금 당장은 울산시를 방문할 일이 없다. 하지만 예전에 경험한 까마귀 떼의 스펙터클을 생각하면 바로 기차표를 예약하고 내려가고 싶은 마음이 발동한다. 도시에 대한 기억은 바로 이런 지점에서 만들어지는 것이 아닌가 생각한다. 멋진 건물과 잘 조성된 대로변처럼 축조된 세련미보다 온몸으로 전인적 체험을 하게 만든 어떤 시그널이 나의 신체 어딘가에 남아있느냐의 문제로 볼 수 있다. 도시공간이 신체감각까지 이르러 그 어떤 경험을 신체 내부에 전달할 수 있는 가능성. 이것이 도시의 기억을 짜임새 있게 조직해내는 것이 아닐까.

나의 기억 속에 남아있는 도시는 마치 떠다니는 섬과 같다. 어릴 적 아버님의 직업을 따라 대전으로 이사한 것을 시작으로, 대학 시절 서울, 대학 졸업 후 아르바이트, 직업 등의 이유로 거주지가 여러 번 바뀌었다. 나의 도시 거주 이동 경로를 정리해 보면 서울 성북구 → 대전 서구 → 경기도 성남 → 서울 서초구 → 서울 마포구 → 경기도 일산 → 경기도 파주(현재 거주지)의 순서다. 이 중 독립된 가구로 정착한 시기는 2001년으로 서울 마포구(홍대 앞) → 경기도 일산으로의 이주이다. 역시 이주 동기로는 아내의 직업에 따른 것으로 개인이 공간을 주체적으로 선택하여 이동한 것은 아니라는 점이다. 결국 나의 도시 공간에 대한 기억들은 스스로 원하는 방향과 목표를 가지고 진행했다기보다 직업의 종속된 수동적 이동에 가깝다고 보아야 할 것이다.

도시의 중심부건 변방에 있건 나의 도시에 대한 기억들 중 가장 지배적으로 차지하는 기억은 10대 초반의 종로 일대와 10대 후반의 강남 일대라 말할 수 있다. 다시 말해 신체적 반응이 가장 민감하고 강하게 각인된 시기였다고 할 수 있다. 이 시기의 공통점은 바로 경제 활동을 하지 않아도 되는 자립과 무관한 소년기라는 점이다. 성인이 되어 직업을 가지게 되고 경제활동을 책임져야 하는 위치에 있을 당시에 도시는 상황에 따른 선택을 능동적으로 하게 되기 때문에 변화된 도시공간에 나의 위치점을 합일화 시켜 이상하거나 뭔가 부조화스러운 것을 애써 없앤다. 우리는 낯선 곳에 최대한 빨리 적응하는 법을 배웠고 그 통과 의례로 어쩌면 사회의 구성원의 하나라는 자격을 받았으며 도시를 살아가는 도시인의 일인이 되는 것일지도 모른다. '도시에서 살아남기 매뉴얼' 대로 훈련받은 행동을 하게 되면 도시 공간에 나의 신체와 정신이 서로 이질감 없이 상호 스며들게 할 수 있다. 하지만 도시에서의 자신의 위치를 수동적으로 강요받을 수밖에 없었던 소년 시기 - 특히 80년대 소년이라면 공감할 - 라면 이야기는 달라진다. 그들은 자신이 스스로의 도시 공간을 선택할 권리가 없었다.

'나는 10살의 어린 나이에도 불구하고 어른들 틈에서 바둑을 배웠고 중고생 학생이 되었을 때 대전과 서울을 혼자 심야버스를 타고 오가면서 미술을 배웠다.' 이 표현은 아마 다음과 같은 표현으로 대체할 수 있다. '나는 10살의 나이에 도시 시장경제에 진입하기 위해 프로 바둑 기사 과정에 입문하였고 중고생 학생이 되었을 때 서울권 미술대학으로 진학하기 위해 심야버스를 타고 대전에서 강남까지 미술을 배워야만 했다'. 내가 1970~1980년대 중반까지 서울에 살고 있을 때 중산층 가정이 당면했던 강남 개발의 경제적 사다리 이동이 있었고, 대전으로 이사한 1980년대 말에는 서울로 진입해야 하는 과제를 안고 있었던 것이다. 만약 그 당시에 나만 대전으로 이사하지 않을 선택을 내가 할 수 있었다면 나의 현재 모습에는 어떤 변화가 있었을까?

재생되는 장소 노스탤지어

10대 시절, 내가 기억하는 도시의 모습은 현존하지 않으며 오로지 언어로만 존재한다. 그 언어는 늘 그곳에, 그 장소에 기억과 흔적들이 남아있을 거라 희망을 주지만 정작 그곳을 찾아간다면 상황은 생각한 것과 다르다. 곧바로 대상의 부재함을 목격하고 단절된 채 상실감을 느낀다. 장소에 대한 조립된 기억은 현재의 방법으로 비교할 수 있는 대상이 온전하게 보존되어 있지 않기 때문에 불안전하다. 결국 남는 것은 불안전한 상실감만 남게 되는데 이것은 지워지지 않는 언어의 존재로 인해 다시 살아나 어딘가 있을 것이라는 희망으로 인해 생채기를 남긴다. 이 부분이 적어도 나에게는 '노스탤지어'가 된다.

20세기 대표 미디어인 영화와 사진은 고맙게도 아직까지 우리에게 기록과 재생의 순간을 마련해 준다. 그리고 21세기를 지나면서 그 기록들은 조작되고 변형되어 사실의 선을 넘어서려 하지만 공교롭게도 그 과정에서 20세기 미디어들과 충돌하기도 하고 타협하며 공존하고 있다. 그 원본들은 점점 얇아지고 안 보일 정도로 미세해져 가고 있지만 그 물질들의 화학적 변화에도 불구하고 그 안에 살아 있으려 하는 그 무엇이 존재하는 것이 느껴진다. 가령 인화 처리 화학안료가 빛과 시간으로 인해 퇴색되고 서서히 빛깔이 공기 중에 산화되어 사라지지만 사진 위에 남겨진 곳곳의 시선과 기억의 흔적들이 기어이 마이크로한 물질들 틈새에 끼어들어 자연의 법칙에 맞서 운명적 소멸을 조금이라도 지연시키려 몸부림치는 것이다. 결국 물질은 사라져도 정신은 그 자리에 남는다. 여기에는 빈자리에서 일어나는 기억의 소환 요구에 대해 원본 사이에 살아있는 보이지 않는 시선의 흔적들이 얼마나 요구에 부응하느냐가 중요한 변수로 남는다. 누구에게나 물질의 소멸보다 그 물질을 인지하는 정신 상태의 소멸이 더 앞당겨질 수 있기 때문에 늘 노스탤지어의 풍경은 원본과 소멸의 간극 사이에 불안전하게 존재한다. 그 과정에서 우린 조작된 기억을 신뢰하고 그 위에 수많은 레이어들을 겹쳐놓고 저 멀리 떨어져서 바라보기를 반복한다. 시간의 연속적 흐름 가운데 장소는 불연속적이다. 이때 우리의 기억은 불연속성을 지니게 된다. 도시의 장소가 변화하고 불연속적으로 바뀌면서 우리의 기억은 시간의 연속적 흐름 위에서 상대적 불연속을 인지한다. 이런 의미에서 노스탤지어는 지표 없이 떠다니는 잡히지 않는 유토피아의 다른 말이 아닐까.

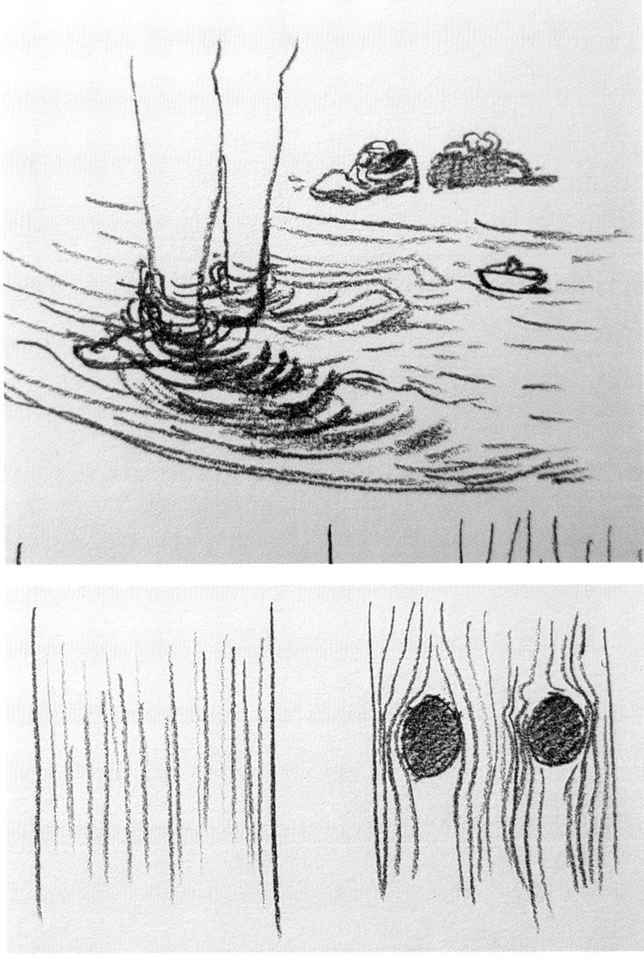

안개 자욱한 호숫가. 저 멀리 노스탤지어라는 한 섬이 보인다. 그 섬은 가까이 다가서면 보이지 않지만 멀리서 바라볼 때 비로소 어렴풋이 보이기 시작한다. 비록 불확실하지만 가만히 서서 보면 희미하게 보인다. 그리고 그곳으로 갈 수는 있지만 만질 수는 없다. 그 섬에 가기 위해서는 접근하는 길을 늘 기억하고 있어야 하고 망각하지 않게 가는 방법을 암기해야 한다. 많은 사람들이 그 섬에 도달할 수 있는 지도와 방법을 말하고 있지만 정작 진짜로 섬 안에 들어간 사람은 아직 없는 것 같다. 개중에는 섬까지의 구체적인 도달 방법을 글로 남기는 사람도 있으며 그곳에서 직접 목격한 기록과 글, 그림들이 있다. 최근에는 노스탤지어 섬을 순식간에 복사할 수 있고 금방 흔적 없이 지울 수도 있는 노스탤지어 인공 생성 장치가 개발되고 있다는 소문도 들린다.

저 멀리 수평선 위에 안갯속 노스탤지어 섬이 보인다. 안개가 걷히면 사라지고 언제 다시 볼지 모르지만 나의 시선은 항상 먼 곳만을 바라볼 뿐이다.

콘크리트의 노래

오로제

도시단상

[말 트기] 어느 애니메이션에서는 몸이 아주 작아진 주인공이 매회 인체의 부분들을 탐험한다. 주인공은 몸 구석구석을 다니며 세포들을 만나고 신체 기관을 둘러보면서 몸이 운영되고 기능하는 방식을 보여준다. 만약 우리가 그 주인공이고 도시가 거대한 몸이라 한다면 어떨까. 도시는 아주 거대한 살아있는 몸이고, 우리는 그 일부의 일부인 아주 작은 세포라고 한다면 말이다. 인간을 위해 인간에 의해 설계된 이곳은 과연 어떤 몸일까.

몸
으로서의
도시

인간과 물질, 비인간과 생명, 비자연과 우연의 사고…. 부자연스럽게 대응하는 것들이 어우러져 꾸려지는 이 복잡스러운 [인공의] 생태계. 생물이든 비생물이든 나눌 것 없이 모든 각각의 생분 아니라 그 사이사이의 메커니즘을 아우르는, 부분들의 거대한 전체이자 더 큰 개념 속에서는 찰나이자 작은 일부인 **도시**. 끊임없이 생성되고 소멸하고 퇴화하고 진화하며 변화하는, 삶, '살아있음'의 터전. 이 얽혀있음과 끊임없는 변화 탓에 도시는 어찌 보면 마치 **하나의 숨쉬는 덩어리** 같다. 개별과 개별 혹은 부분과 부분이 연결되어 작용하는 유기체를 넘어 생명이 깃든 상태의 거대한 몸 말이다. 이 몸은 크고 작은 머리가 여럿이요, 팔다리는 (가끔은 근사하고 가끔은 우스꽝스럽기도 한, 혹은 이 모든 것이 동시적이기도 한) 다양한 형식으로 기능하고, 어디론가 늘 움직인다. 일부는 계속해서 재생산되고, 곪아간다. 소멸하거나 파괴되거나 배출된다. 쌓아지거나 부서진다. 외관을 어림잡아 보든 속살을 들여다보든, 단 하나의 세포도 허투루 쓰이는 법이 없는 것이 그 호흡의 형태가 산소를 들이마시고 이산화탄소를 뱉는 것이 아닐 뿐, 정말이지 인간의 몸뚱이, 혹은 그 어떤 살아있는 몸뚱이와도 다를 것이 없다. 인간은 인간을 닮은 도시를 만들어 자신에게 도시를 만들어 바쳤다. 그리고 그것은 이 작은 인간을 넘어서서 자생하며 인간을 품어 인간을 살게 한다. 인간을 건강하고도 메마르게 하였으며, 그 속에서 인간은 생성되고, 분열하고, 죽어간다. 손안에 담을 수 없고, 어림잡아 볼 수도 없는 거대한 생명체. 도시는 스스로 끊임없는 세포 분열을 통해 매일 재생-진화하고, 꿈속에서 내일 다시 태어난다. #도시 #몸

너you는 '생태계'이다. 너you는 생태 '망'이다. 너you는 호흡한다. 뚜렷하게 숨 쉬고 있다. 너you의 방식으로. 나는 너you를, 도시를 하나의 거대한 몸뚱이라고 -. (이를 구성하는 하나하나의 작은 세포들과 기관들을 상상해보자.) you는 수많은 you(들)로 구성되어있다. you는 you의 복수이자 단수이다. you는 개별이사 복합체이다. you는 적이자 이웃을 빙자한 아군이다. you는 개인이기도 하고 계절이기도 하며, 모래이자 미생물이고, 기술이자 대화, 움직임이자 상상이고, 허상이자 집단이고, 이 모든 전체이기도 하다. you는 여기이자 저기이다. you는 나이자 너이다. 순환-. (수많은 입구와 수많은 배출구를 떠올려보자.) 순환하지만 돌아갈 수는 없는, 어딘가로 가고 있는 움직임.

여기에 있는 도시는, 몸으로서의 장소이자 몸으로서의 시간이다. 도시라는 몸은 모든 꿈을 품고 지금 여기 있는 현존의 몸이다. 도시의 내일은 어떤 절망과 믿음으로 오늘 꾸는 꿈이며, 도시의 어제는 오래된 꿈으로 이루어진 인류와 자연의 역사이다. 숨 쉬는 몸은, 살아있다는 것은 늘 지금이다. 유토피아라는 일탈을 꿈꾸는 무수한 과거의 순간들과 끊임없이 부서지는 현재의 결합. 도시는 증오와 환상의 내일이 비껴가는 오늘의 일상이다. 도시는 오늘이어야만 한다. 살아있기 위해. 살아있으므로. 살아서 꿈꾸기 위해. #오늘 #지금

도시 이전의 자연에게 도시는, 끊임없이 전투와 화해를 동시에 걸어오는 이종(異種, heterogeneity)의 군집이다. 이 혼종의 몸은 태어난 시점부터 내일까지 살아남기 위해 끊임없이 무언가를 삼켜 소화한다. 도시는 외부물질을 체화시키며 이를 통해 영양분을 얻거나, 항원에 항체를 만들어 대처하는 몸처럼 그에 적응하며 새로운 재료들을 받아들인다. 도시를 위한 도시의 재료는 그 몸의 세포가 되고, 기관이 된다. 우리는 늘 번역된 세포들, 새로운 언어의 몸으로 살아간다. #혼종 #결합 #번역 #재산출 #항체 #세포

도시의 재료들, 도시의 세포들은 그것이 도태되었을 때 새로운 물질로 대체된다. 새로운 기술, 새로운 과학, 새로운 사고, 새로운 문화, 새로운 삶의 욕구. 새로운 생태계를 꾸리기 위한 적응. 더불어 그 환경에 적응한 다음 세대의 인간과 동물들이 태어난다. #면역 #재생

지금의 기관들을 이제 불필요한 것이라고 보고 도려내려 하는 인간의 모습은 자신이 설계한 거대 신체를 해부하여 수선하고자 하는 욕구에 다름 아니다. #해부 #재생

현대 도시의 탄생은 계획되었다. 도시는 계획과 기획으로 부단히 재구성되며 기술과 문화와 예술을 끊임없이 유입하고 먹어 삼키고 소화하고 배출한다. 도시는 모든 시간의 과거를 낳는, 가장 오래된 기억을 가진, 가장 빠른, 성장이 이른 몸이다. 도시는 성장통을 겪는다. #구상된 #성장 #성장통

계획, 계획, 끊임없는 계획, '나아진 삶의 질'에 대한 도시 전설은 언제나 과거에 남는다. 오늘은 매일 실패하고, 내일은 계속 남아있다. #내일의 #유토피아

대도시는 #진취적인 #리더, #변화를 좋아하는, #똑똑한 #지식체, #멍청한 #맏이, #이기적인 #꿈, #상냥한 #앞잡이, #아름다운 #네온사인, #반짝이는 #실험체.

도시의 세포들은 그것이 의도된 형태로서 기능하며 도시의 기관이 된다. 도시는 수많은 팔과 다리, 수많은 두뇌와 위, 촉수와 신경들을 가지고 있다. 도시의 재료로 형성된 도시의 기관들은 의도된 하나의 역할만을 수행하지 않는다. 그것들은 의도되지 않은 형태로도 기능한다. 예컨대 청각기관은 단순히 청각적으로만 활동하지 않는다. 부분은 부분에게 행위하며 다른 부분을 생산한다. #의도된 #행위 #의도되지않은 #기능 #관계

기관은 세포들 간의 망이다. 이들은 움직이고 활동한다. 이를 통해 계속해서 무언가가 발생한다. 언제나 그 능력 agency 과 모습이 유동적이며 이는 쉽게 포착할 수 없다. 기관은 기계일 수도, 기술일 수도, 혹은 과거의 어떠한 사건일 수도, 공동 심리일 수도 있다. 이것은 너무나 빠르게 변화하고 우리는 그 안에 얽혀있다. 우리는 그것을 관망할 수 없다. #기관 #망 #행위능력

도시의 심장은 도시의 모든 행위, 모든 움직임이다. 움직이지 않는 형태들 사이를 흘러가는 그 모든 움직임, 행위와 그에 따르는 모든 여타의 부수적 기능들. 모든 흐름과 그 흐름 가능케하는 세포와 기관들이 도처에 널려있다. 움직이지 않음도 어쩌면 움직임에 해당한다. 침묵도 소리의 개념에 포함되기도 하는 것처럼. #심장 #흐름 #살아있음 #움직임

인간의 문명이 자연과 어우러지면서부터 우리는 완전한 자연을 마주할 수 없고, 모든 것은 인공의 자연이 되었다. 도시라는 인공 혼종체는 인간 본성nature으로부터 잉태된 산물이다. 이 모든 인공의 것이 인간 본성의 수단이자 환경, 꿈이자 삶이라면, 이 또한 natural 하지 않은가? 우리는 도시를 머리와 손발로 낳았고, 도시는 그 몸으로 우리를 품는다. 그럼 우리 인간은 지금의 여기가 낳은 도시라는 몸의 이종항원(異種抗原, heteroantigen)이라 명명할 수 있을까? #자연 #자연적인 #인공성의 #본성

인간을 위해 인간에 의해 탄생되어 성장하는 문명의 도시는 그 인공성의 측면에서 삶의 당락이 인류와 함께한다. 도시는 인류가 더 이상 쓸모 없어졌을 때 그 탄생 의미와 함께 죽는다. #인공성의 #수명 #연결 #죽음

몸의 도시. 이건 돌과 나무와 바다, 땅이 살아있다고 믿는 자연적이고 자연스러운 믿음을 현대의 터전으로 확장하는 일이다. 이제 돌과 나무 대신에 전신주와 한강 다리에 기도하는 것이 어떨까. 그것들은 인간의 손으로 인간을 위해 만들어졌으며 독립적이고 관계적이니, 그 어떤 '듣는 이' 보다도 인간을 더 잘 헤아릴 수 있지 않을까? 거-대-한 오랜 모든 문화, 기술과 과학, 상상과 행위의 합성물들, 인간 지성과 욕망의 산물들에게, 기도. #신화 #믿음 #기도

몸에 대한 인지, 이것은 '오늘'의 부활이자

도시의 호흡

살아있음, 숨

증명 1. 세포:재생
증명 2. 기관:연결
증명 3. 숨[인공성]:죽음

새로운 기관들의 탄생 축제가 될 것이다.

결론 1. 오늘
결론 2. 느끼고 내일을
결론 3. 속삭여보자

콘크리트의 노래

R: 당신은 어떻게 태어났나요? 한 가지 방식을 되새겨 볼까요?

R. 말을 걸며 통을 휘젓는다. 시멘트와 물, 모래 등이 섞인다.

C1: …. (시멘트, 물, 모래, 통, 젓는 행위, 섞임: 행위의 소음)

R: 당신은 어떻게 생겼나요?

C1: xdB-ydB (형성의 소음)

R: 다양한 형태로 서울 이곳저곳에 있는 당신들에 대해 이야기해보고자 합니다.

C2-C10. (각각의 자리에서 정적인 아우성)

R: 당신들도 스트레스를 받고, 가끔 외부로부터 소리도 들리지 않을 때 비명을 지르기도 한다고 들었습니다. 사실인가요? 도시 전설 같은 것입니까?

C: ….

R: (대답을 채집하는 데 실패하였다.) 반복적인 것 외에 다른 것들을 마주할 때가 있을 것 같은데요. 돌발적인 사건들 말입니다.

H1, H2, H3, H4 …. 사방에서 Happening이 등장한다.

Hs: (도처에서 제각기 말한다.)

[…]

한강 대교의 밑동, 북악산을 꿰는 터널의 왼쪽 천장, 이제는 사용되지 않은 파이프 수로의 안쪽, 사람의 키보다 조금 높은 위치에 있는 콘크리트 벽에 난 균열. 이 도시에는 우리의 손으로 우리의 필요에 의해 거기게 있게 되었으나, 일상 속에서 잘 감각되지 않는 부분들이 많다. 움직이는 일상의 모든 시선의 선 속에서 잠시 눈을 돌렸을 때 보이는 것들. 가령 당신이 사는 곳 건물 뒤편의 모서리나 마음먹고 바닥청소를 할 때 마주하게 되는 냉장고 밑의 공간 같은 곳 말이다. 이런 일상의 부분들은 막상 시선에 닿고 나면 너무나 익숙하지만 돌발적인 사건 없이는 곧잘 잊히곤 한다. 나는 이런 소외된 부분들이 좋다. 특히나 도시적인 물질로 형성된 시선 바깥의 부분들은 묘한 감정을 이끌어낸다. 지하수가 흐르는 맨홀 뚜껑 안, 하늘을 가리는 수 가닥의 전선들, 이제는 작동하지 않는 인공 폭포의 노출된 단면. 이들은 사람의 터전을 위한 거대한 기획의 일부로 도시 속에 자리 잡았지만 인간의 눈길이나 발길이 잘 닿지 않는 곳에 놓여있다. 고요하고, 단단하고, 차갑고 멈춰진 것들. 그 자리에서 과도한 인구와 숱한 소음, 꺼질 줄 모르는 빛들을 묵묵히 지지해 주는 이 모든 부분들은 거기 있음으로써 도시를 지탱한다. 지금의 도시가 살아 숨쉬기에 필요했던 이들은 우리가 알든 모르든 어느 틈에 그 자리에 있게 되었고, 어느 날 대체될 것이다.

도시의 미래 계획은 언제나 처참한 오늘을 이야기한다. 환경문제, 비자연적인 삶, 주거문제, 높은 인구밀도 등은 꽤 오래 지속되어 온 단골 소재다. 더 나은 내일을 향하는 오늘 앞에서 지금의 도시를 이루기 위해 유입되었던 수많은 도시의 부분들은 대도시의 문제로 읽힌다. 지금의 도시를 구성한 재료들, 즉 도시라는 오늘의 몸의 세포들과 그것들이 이루어 만드는 이 신체의 기관들은 그 실존하는 기능에도 불구하고 존재를 부정당하곤 한다. 자연을 훼손하고 있다는 이유로, 보기 좋지 못하다는 이유로, 공해와 소음의 원인이라는 이유로. 우리는 도시 미래비전이 오늘을 부정하며 뿌리는 희망의 속삭임들에서 깨어나 **오늘을 살아내기 위해** 도시의 오늘을 회복할 필요가 있다. 오늘 여기 있는 것들, 오늘 나와 함께 하는 것들을 인지하여 곁에 둘 필요가 있다. 도시를 살아있는 몸으로 인지하기 시작하면 도시는 미래라는 꿈과 지난 기억의 과거도 아닌 오늘, 지금, 여기가 된다.

도시라는 거대한 몸 속에서 인간은 도시를 구성하는 다양한 재료 중 하나로서 다른 기관들과 맞물려 기능하며, 이것이 살아있게 만드는 하나의 세포 혹은 면역체계, 혹은 신경줄기 하나에 지나지 않는다. 인간을 위해 들여온 도시의 재료들은 인간과 다르지 않은 위치에 있으며, 모든 하모니의 일원이다. 우리가 도시라는 몸의 하모니에 귀 기울여 본다면, 도시를 안팎으로 감싼 모든 것의 현-생동성이 우리의 삶을 단단하게 지탱하고 있다는 것을 감지할 수 있을 것이나. 이런 작은 기대 속에서, 콘크리트의 노래는 도시 속 모든 소외된 부분들 역시 지금 여기에 살아있고, 우리 모두가 함께하고 있으며, 이 도시가 숨 쉬고 있다는 걸 이야기하기 위해 시작되었다.

도시를 구성하는 재료 중 가장 익숙하고 일상적인 것, 단단하고 차갑고 정적이고 거대하며 가장 도시적인 물질인 콘크리트[1]. 빠르고 형태를 잡기 용이하며 단단하다는 -인간들의 근대적 욕망과 매우 닮은- 이유로 콘크리트는 도시 건설, 도시 기반의 주 재료로 사용된다. 서울 역시 대도시로서의 태동을 콘크리트와 함께했고, 현재 서울은 콘크리트 도시라고 불리기도 할 만큼 거대한 콘크리트 덩어리들로 이루어져 있다. 아파트와 기타 건물들, 한강 대교들, 도로, 보도블록, 그 옆에 길게 늘어선 배수구 아래 지하 수로 등. 서울이라는 거대한 신체 안에서, 콘크리트로 형성된 수많은 덩어리들은 다리이기도 하고, 혈관이며, 뼈대 혹은 피부이기도 하다. 이 물질은 나름의 방식으로 노화하고 재생되거나 새로운 시대에 발맞춰 대체되고 또 진화한다. 콘크리트 덩어리들은 이 재생과 분열의 과정 속에서 신체에 필요한 기관들로 형성되고 그에 맞춰 기능함으로써 인간을 여기 도시의 삶 속에 살게 한다. 그럼에도 불구하고 지난 몇 년 간 창고형 노출 콘크리트 인테리어와 안도 다다오 스타일 건축이 유행이었던 것을 제외하면 콘크리트란 별 감흥 없는 물질인지도 모르겠다. 특히나 현대 도시에서 나고 자라 콘크리트 풍경이 너무나 익숙한 사람들에게는 더더욱 흥미로울 것 없는 일상의 질감일 것이다. 도심이 화려하게 태어나던 사십여 년 전만 해도 거대한 콘크리트 빌딩은 대부흥의 상징이었는데도 말이다. 한국전쟁 이후 콘크리트로 일궈

1) 콘크리트라는 명칭이 사용된 건 1900년대부터였으나 콘크리트의 원료가 되는 시멘트는 기원전부터 사용되었다. 현재의 콘크리트와 비슷한 형태의 오래된 예로는 로마시대의 판테온이 있으며 이는 로마콘크리트로 지어졌다. 이렇게 보면 콘크리트는 그 이전의 모습부터 도시적이다. 현재 주요 사용되는 포틀랜드 시멘트로 만들어진 콘크리트는 근대 산업혁명 이후에 등장하여 건축 재료로 사용되기 시작했다. 콘크리트는 그 배합률과 재료에 따라 다양한 종류로 나뉜다. 콘크리트에 대한 흥미로운 사실 중 하나는, 콘크리트가 이산화탄소를 흡수한다는 점이다. 콘크리트는 이산화탄소를 흡입하며 노화하는데, 이사실은 마치 콘크리트가 사람이 뱉어내는 숨을 먹고 자라는 것 같은 상상을 하게 한다. 최근에는 소위 '친환경적'인 효과를 위해 이산화탄소를 적극적으로 체내에 흡수하여 가두어두는 콘크리트 공법의 연구도 진행되고 있다.

냈다 해도 어색하지 않을 서울은 몇 년 전 환경부의 불투수 지면 조사에 따르면 그 지면의 54%가 콘크리트, 건물, 아스팔트, 보도블록으로 덮여있다. 즉 거의 다 시멘트, 콘크리트라 말할 수 있는 것들이다. 이 회색 도시의 대표적 소재인 콘크리트는 사람들이 어느 날부터 도시에서 '자연친화적'이라는 키워드를 찾으면서 인간의 '자연적인' 삶에 반하는 악처럼 묘사되는 일이 잦아졌다. 오죽하면 콘크리트가 얼마나 인간의 삶에 좋지 못한지에 관한 책이 있을 정도다. 인간들이 비자연적인 도시생활을 꿈꾸며 쌓아올린 콘크리트들이 이제는 비자연적이기 때문에 대체되어야 할 것이 되고 이를 위해 부단히 노력하는 인간의 모습은 어쩐지 우스꽝스럽기도 하다. 어느 시대에도 그 현대인은 절망한다는 이상의 말마따나, 절망이 기교를 낳고 기교 때문에 또 절망하게 되는 과정 자체가 도시의 성장 동력인지도 모르겠다.

지금, 사람들은 콘크리트에 대해 어떻게 느낄까. 차갑고, 답답하고, 볼품없다고 생각할까? 긍정적으로 생각하든, 부정적으로 여기든, 그러니까 좋든 싫든 이 도시는 이미 오래전부터 상당수의 콘크리트 세포로 이루어진 생태계다. 도시 생태망 안에서 콘크리트와 인간을 포함한 모든 도시의 재료들은 -'공생'이라는 경직된 말보다는- '얽혀있다'. 콘크리트에 대해 긍정이든 부정이든 어떤 이미지를 덧씌우는 입장이기 이전에 도시의 재료 대 재료로서, 신체의 기관 대 기관으로서 만나보는 경험이 필요하지 않을까라는 생각을 한다. 콘크리트의 노래 작업은 그러한 경험을 유도해보고자 하는 단순한 개인적인 궁금증과 욕심으로 시작한 것이기도 하다. 콘크리트의 노래가 생성하는 감각행위가 개인(one)과 그것(one) 사이, 나(I)와 너(you)

사이의 재-관계맺기를 파생시킬 것을 기대한다. 괴테의 형태론에 관한 글에서 한 구절을 빌리자면 인간은 세계를 아는 한에서만 자기 자신을 안다. 인간은 자기 자신 안에서만 세계를 지각하고, 자기 자신을 세계 속에서만 지각한다. 모든 새로운 대상이 [···] 우리들 내면에 새로운 기관 (ein neues Organ)이 생겨나게 한다. 듣지 않았던 것을 듣는 것, 보지 못했던 것을 보는 '몸적'인 행위는, 기관과 기관을 연결하는 생태적인 일이다. 이 신체적인 행위는 의지와 기회에 따라 끊임없이 확장 가능하다. 이는 외부로의 확장이며 동시에 내부로의 확장이다. 즉 인지의 행위, 관계맺기에 대한 의지는 새로운 질서와 새로운 협약, 새로운 기관을 끊임없이 생성하는 일이다. 이 거대한 도시라는 몸은 자율적 기관들의 새로운 생성을 통해 활력을 얻고, 우리는 보지 않았던 것, 듣지 않았던 것을 보고 듣고 만지며 더 넓게 확장된 몸을 가질 수 있을 것이다. 오늘 밤에 꾸는 꿈은 어제보다 구체적이고 더 다채로울 거다.

콘크리트 노래:

1) 콘크리트를 무대 위에 세운다.
2) 콘크리트 앞에 마이크가 놓인다.
3) 콘크리트에게 발언권을 넘긴다.
4) 나는 질문하고, 우리는 듣는다.
    - 질문은 인간적일 수밖에 없다. 그는 인간적일 수 없다.
    - 그 사이를 오가는 번역은 직관적인 감각이 담당한다.
5) 우리는 듣는다.

> 콘크리트의 노래에서는 콘크리트를 주인공으로 세운다. 작업 안에서 콘크리트는 주제를 넘어 주체가 된다. 메인 보컬은 콘크리트가 맡고, 인간인 나는 반주와 코러스를 맡기로 한다. 한편으로 나는 인터뷰어이고 그것은 대화의 주인공이다. 나는 그것에 의해 질문하고 그것은 답한다. 그것은 말한다. 나는 환경이고 그는 환경의 주체가 된다.

살아있음-듣기:

살아있음과 죽음에 대한 생물학적 결정은 두 기관과 그 기능의 한 가지 상태에 대한 확인을 통해 이루어진다.
호흡과 심장의 **정지** 여부.

모든 소리는 움직임-생동에 대한 증명으로 기능할 수 있다. 모든 움직임이 소리가 되는 것은 아니지만, 소리 에너지는 파동이며 매질을 타고 흐르는 흐름이다. 이는 움직임으로써 생동을 가진다. 매질을 따르는 소리는 발생 경위부터 관계적이며, 소리의 출처는 언제나 상대적이다. 이는 이미 네트워킹 그 자체이다. 우리는 소리에서 움직임이 아닌 소리를 걸러낼 수 없다.
콘크리트에게 마이크가 주어지고 콘크리트 현장의 사운드들이 그의 목소리라 불러짐으로써, 그리고 이것이 **듣기 위한** 사운드가 됨으로써 콘크리트는 인간과 비인간의 관계 속에서 살아있는 것이 된다. 그것이 있음으로써 발생하는 소리의 파장은 듣는 행위 속에서 역으로 그것이 있다는 증명이 된다. 생동은 언제나 그것을 가늠할 수 있는 대상들 간의 공간 안에서 측정된다. 우리는 여기에 있다. 우리는 듣는다. 그리고 그것이 여기에 있다.

우리는 그것(대상)이 아닌 소리를 수집할 수 없다.
반대로 우리의 귀도 동시에 수집된다.
수집된 소리 속에서 대상은 주체이자 대상이다.
듣기 = '대상'이 나에게 행위한다.
'대상'과 '내 안'이 이어진다.
이는 기관의 끊임없는 생성과 재결합이다.

대화: 호흡

: 들이마시고, 뱉는 행위. 숨을 불어넣는 행위. 숨쉬기.

* 85 page 참조

* 질문한다

- 콘크리트가 노래한다
  - 질문한다
    - 콘크리트 목소리에 맞춰 함께 노래한다

(반복)

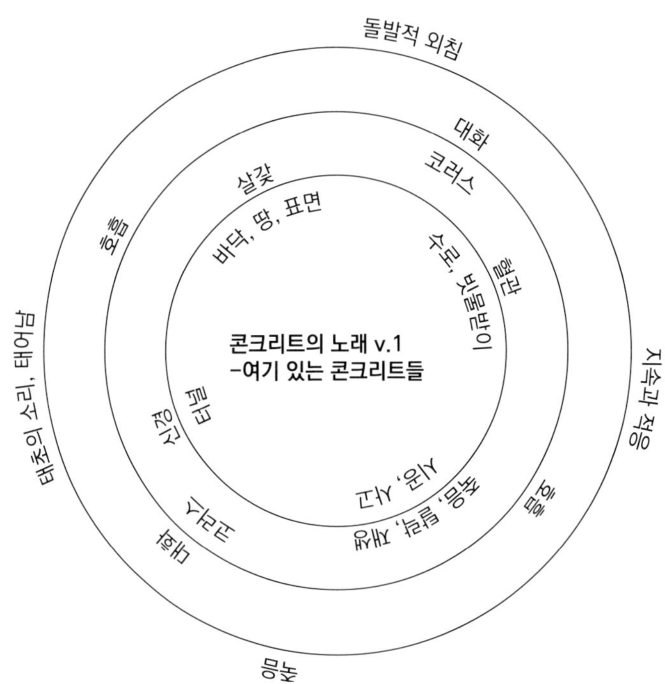

Interviewer 오로제
Interviewee 콘크리트
Theme 콘크리트의 생

00:00 탄생
00:00 형성
00:01 거기 있음
??:?? 돌발적 사건들
xx:xx 적극적 대화
00:00 죽음

Producer 오로제
Vocal 각종 콘크리트
Chorus 오로제
Instruments (Mixed Conversation) 오로제

[결과 및 인사말] (다음 장)

저기요,

여 기

콘크리트도

살아있어요.

한 번

들어보세요.

그 리 고

당신의 콘크리트와 얘기해보세요. 당신의 방 구석 숨겨진 모서리와,

도로 옆
지난 계절이
수북이 쌓인
퍼석한
수로의
안쪽과,
적막과

굉 음 을
받아내고
있는 당신의
도시 당신의
모 든
콘크리트와.

살아낸 공간과 우회로들

김현주 ex-media

공간과 건축, 신체에 대한 관심은 보편적일 것이다. 나 또한 그러했고, 이것이 특별하다고 생각되지는 않는다. 나의 경험과 생각이 동시대를 살아가는 사람들이 가지는 평균적인 것일지라도, 그것이 함께 나누어질 때, 그 공명이 또 다른 의미와 유익함을 만들 수도 있을 것이라 생각하며 글을 시작한다.

먼저 이 지면을 빌어서 도시에 대한 이야기를 꺼내기 전에 나를 뒤돌아보는 시간을 가지게 되었다. 그리고 40년을 훌쩍 넘긴 중년의 삶이 수박 겉핥기 식으로 나열되었을 때 독자가 느낄 지루함에 대해서도 걱정이 된다. 그럼에도 불구하고, 그렇게 불친절하게 나는 내 이야기를 시작해 보려 한다. 내 삶은 결국 앞으로 이야기하고자 하는 도시 공간을 중심으로 한 내 창작의 맥락이기 때문이다.

삶의 공간 이동: 어린 시절 나는 경상북도 봉화라는 곳에서 자랐다. 부모님은 생계와 교육을 위해 육 남매 중에 늦둥이 막내로 태어난 나를 조부모에게 맡기고 도시로 떠나셨다. 백두대간 아래 지천이 산으로 들로 둘러싸인 두메산골에서 초등학교를 들어가기 바로 전까지 나는 아주 청정하고 눈부신 유년의 시간을 보냈다. 이후 초등

학교부터 고등학교를 마칠 때까지 부모님이 계신 대구에서, 또 그 후 대학은 포항에서, 직장 생활과 신혼 시절은 서울에서 짧게는 3년 길게는 6년의 시간을 보냈다. 미국으로의 유학과 이후의 직장을 다녔던 9년 동안은 미국 뉴욕주의 북동부 도시들인 로체스터와 시라쿠스, 시카고, 그리고 이후 매사추세츠 주의 보스턴 교외 작은 도시들을 옮겨 다녔다. 2009년 귀국하면서 남양주시에 정착을 했고, 2018년에는 가족들의 여러 사정으로 서울에서 생활을 하고 있다. 이렇듯 돌아보면 나는 어느 한곳에 오래 정착하고 살아본 적이 없었던 것 같다. 나는 무엇인가를 이루려고 할 때, 직진하기보다는 돌아가는 과정을 마다하지 않았던 것 같다. 그리고 그 돌아가는 과정 속에 내가 경험하는 것들이 쌓여서 더 깊이 있고 풍부한 결과를 가져올 것이라는 막연한 기대도 한다. 그래서인지 나는 하나에 집중하기보다는 주변을 돌아보고 생각하고 또 천천히 하는 것에 익숙해진 것 같다. 어쩌면 욕심이 과해서 다 해보고 싶은 생각이 앞서서일 수도 있겠지만 말이다. 삶의 순간순간에 내가 내린 결정들이 오늘의 나를 만들어낸 것이라 보자면 나도 꽤나 많은 지구 위의 지표를 찍고 우회(detour)해 돌아다니며 샛길로 빠져나갔던 것 같다. 그리고 이러한 이동 과정 속에 나의 사회적 *삶*과, 신체적 *감각*적 경험, 그리고 기술 매체의 *매개*가 함께 작동하고 있다.

창작 과정 속의 공간: 나의 창작 활동을 단순하게 표현하자면 기술 사회 속에서 인간의 삶을 조명하는 것이다. 즉 기술이 매개하는 환경에서 인간의 사회적 삶과 경험을 나 스스로의 관찰을 통해 때로는 관조적으로 때로는 감정적으로 표현을 하고, 작품을 통해 사람들과 나누어 보는 것이다. 나는 어렸을 때에도 동네의 전파상을 지나갈 때마다 호기심이 발동되어 창문 너머로 보이는 각종 중고 부품과 기구들을 바라보곤 했었던 기억이 있다. 그리고 대학의 진로를 결정해야 하는 순간에서도 삶의 토대와 물리적 작동 방식에 대한 학문으로서 과학기술을 좋아했었다. 당시 인문사회와 예술에 대한 관심도 적지 않게 있었지만, 마치 물질세계의 이치를 알아야지 결국 더 숭고한 삶에 대해 이해할 수 있을 것 만 같았고, 나의 우회 여정은 진로에 있어서도 그러했던 것 같다. 그래서 이공계열만 있는 독특한 대학에서의 학부 생활은 예술과 창작으로의 갈증을 더 심화시켰고 쉽지 않은 대학 생활을 보냈었던 것 같다.

학부시절 사회와 인간에 대한 실망들을 경험하면서 한때 심한 허무주의에 빠져있던 시기가 있었고, 그때 내게 건축이라는 새로운 관심사가 생겨났었다. 무엇인가 한 인생을 살아가며 먼지처럼 사라져가는 허무 속에 그나마 세상에 흔적 하나 남길 수 있지 않을까 하는 생각, 또 구획되는 공간이 결국 사람을 위해 그리고 사람들 간의 관계맺음을 위해 쓰임새가 있다는 생각에 건축의 매력에 푹 빠지게 되었다. 서점에서 건축사와 이론서를 사고, 국내 저자들, 교수들을 찾아가는 등 꽤나 적극적으로 이 분야로 내 향후 진로를 고민했었다. 그렇지만 결정적으로 90년대 중반 한국 사회에서 내가 꿈꾸는 공간을 마음대로 만들 수 있는 건축가가 되는 것은 매우 어렵게 다가왔고, 결국 자본의 논리에 따라, 클라이언트의 요구에 따라 이리저리 현실적인 선택을 할 수밖에 없겠다는 깨달음에 도달했다. 그리고 그 시절 정기구독을 했었던 공간지를 통해 디지털 컴퓨터 기술을 통한 건축 디자인과 모델링이 소개되었었는데 이는 건축디자인의 현실적

한계를 넘어설 수 있는 하나의 가능성으로 내게 다가왔다. 결국 가상의 컴퓨터그래픽 환경에서 내가 만들고자 하는 건축과 공간을 만들 수 있겠다는 실마리를 찾게 된 것이다. 그래서 나는 컴퓨터 또는 디지털 기술이 예술적 표현을 가능하게 하는 컴퓨터아트 전공으로 진학을 하게 되었다.

마침내 내가 예술대학으로 석사를 진학했을 때는 이미 내가 지나온 길들로 인해 기술이 깊숙하게 나의 창작에 도구로써 또 주제로써 영향을 주고 있었다. 사회를 구성하는 물질적 토대이자 하부 구조로써 기술적 체계 위에서 나의 신체적 경험과 사회적 삶을 바라보고자 했고, 이것이 창작 과정에 자연스럽게 반영될 수밖에 없었다. 나는 먼저 가상공간에서 재현되는 디지털 신체의 이미지가 가져다주는 역설적 허무함과 기술과 커플링 되어가는 포스트휴먼적 결합에 대한 편치 않음을 초기 작업인 [디모프(Dmorph)], [버추얼바디(Virtual Body)], [이중공간(Dual Space)], [오류의 몸(False Body)] 등에서 드러냈다. 그리고 시각적이고 가상적인 이미지의 환영에서 벗어나 점점 더 물리적으로 실재하는 공간, 여기 이곳에 내 몸이 느끼고 만지고 경험하는 공간 또는 그러한 공간의 혼종적 결합 상태에 관심을 가지게 되었다. 그리하여 점점 더 참여적이고 상황적인 방식으로, 스크린 기반의 시각을 넘어서는 청각적, 촉각적, 공간적 감각 경험을 중시하는 방식으로 창작의 방향이 진화해 갔다.

그러나 형식적 요건을 정해두고 작품을 해오지는 않았던 것 같다. 나는 큰 틀에서 기술적 체계와 수단을 적극적으로 작품에 수용하기도 했지만, 또 한편으로는 아주 평범한 방식으로 드러내고자 하는 주제에 충실한, 기술적 형식보다는 내용이 두드러져야 할 때가 있었고, 많은 경우 그것은 내가 하나의 사회적 존재로서 살아 숨 쉬며 관계하는 내 주변의 삶의 이야기를 토해낼 때였던 것 같다. 다시 말하면, 아무 준비 없이 떠나는 여행에서, 그리고 일상의 공간에서 관찰하고 찍고 기록하는 소소한 것들 중에 자꾸 생각나고 도드라져서 창작으로 이어질 때가 있다. 또 어떠한 경우는 기술적 장치나 매개 방식, 특히 인터랙티브한 설정일 경우, 작품의 전달하고자 하는 내용에 집중할 수 없게 할 때가 있어서, 그런 판단이 들 때에는 과감히 필요 없는 부분은 드러내고 담백하고 단순한 형식으로 가고자 한다. 이러한 두 가지 접근에 있어서 확실한 선택의 경계가 있었던 것은 아니지만, 어쨌거나 일종의 희미한 두 레이어로 내 창작 과정을 관통하고 있어 보인다.

다시 처음의 논의로 돌아가서 나는 이상에서 소개한 나의 창작의 경향을 배경으로 내가 다루어왔던 공간과 도시에 대한 이야기를 세 가지의 시선에서 이야기하고자 한다. 즉, 그것은 삶의 질감으로서의 장소 (Place as a Texture of Life), 감각된 도시 (Sensible City), 그리고 매개의 도시 공간 (Mediated Urban Space)에 대한 이야기이다. 이 공간 에세이에서는 특히 9년간의 미국 생활을 정리하고 한국으로 돌아와 남양주로 정착하면서부터 시작된 한국 사회에 대한 타자로서의 관찰, 주위 작가들과의 협업에서 비롯된 몇 가지 프로젝트, 그리고 여전히 중요하게 창작의 근간을 흐르는 기술과 뉴미디어에 대한 관심 속에 내가 창작했었던 도시 공간을 중심으로 한 작품들에서 가졌던 나의 개념과 생각의 흐름으로 소개하고자 한다.

삶의 질감으로서의 장소

해가 넘어간다. 나는 오늘도 카메라를 들고 아이들 학교를 지나 오래된 빌라촌으로 걸어간다. 오늘은 마을 언덕 저 너머에 걸려있는 일몰 빛으로 인해 철거촌이 된 이 마을이 황금빛으로 물들었다. 카메라가 흔들리지 않게 가슴에 단단히 밀착하고 천천히 걷는다. 나의 카메라 뷰는 하나의 붉은 소실점을 중앙에 두고 위아래로 약간씩의 진동을 한다. 소실점의 주변으로 마을의 풍경이 흘러간다. 어디선가 발소리가 들리고 누군가가 빠르게 재촉해 걸어 앞으로 간다. 멀리서 개 짖는 소리와 인근의 마을 뒷산에 살고 있는 부엉이 소리가 함께 들려온다.

김현주ex-media, 보행도시 - 지금동이야기 no1, 영상, 5min, 2015

2009년 한국으로 귀국하면서 나의 가족은 경기도 남양주 지금동이라는 곳에 터전을 잡았다. 지금은 다산신도시로 병합되면서 사라진 동네이지만, 그 당시 중앙선 도농역과 뉴타운 건설 기대감으로 들떠 있었고, 내가 살게 된 아파트도 새로 지어진 지 1년 정도 지난 새 아파트였다. 아파트의 바로 옆에 오래된 초등학교가 있었고, 또 그 반대편에는 그만큼 오래된 빌라촌이 이제 막 재개발을 시작하려는 중이었다. 마을은 새롭게 조성되는 생경한 신축 아파트 지역과, 낡고 오래되어 이제 사라지는 숙명을 받아들이고 있는 빌라촌 지역, 그리고 그 중간을 억지스럽게 이어붙이는 학교가 있어 두 개 지역 모두에서 다니는 아이들을 품어주고 있었다. 한해 두 해가 지나면서 빌라촌의 많은 입주민들이 떠났고, 아직 떠나지 못한 일부 세입자들과 그들의 애완동물들이 밤이면 더욱 스산해지는 마을을 지키고 있었다. 그리고 또 한 두해가 지나면서 집집의 창문과 벽에 철거라는 붉은 스프레이 표식이 점점 더 많아지고, 더 많은 집들이 그 내부가 드러나며 무너져 내렸다. 무슨 이유였는지 모르겠지만 철거작업은 아주 느린 호흡으로 진행이 되어갔다. 2010년부터 2014년까지 4년의 시간 동안 나는 이 사라지는 공간을 기록할 수가 있었고 이것은 작가인 나에게는 특별한 경험이었다.

당시 나는 일주일에 한 번 정도 DSLR 카메라를 들고 다니며 이러한 상황을 사진과 영상으로 기록했다. 대부분 시점샷(point of view shot)으로 나의 걸음과 호흡이 그대로 드러나는 단순한 방식이었다. 마치 내장이 드러난 험악한 신체 속에 있는 듯, 폭이 2-3미터 정도 되는 골목길 위에 이사를 급히 떠난 사람들이 여기저기 버려둔 가구와 가재도구들, 내밀한 사적 공간을 지켜주던 벽마저 끝내

부서져서 안방과 주방, 화장실이 그대로 노출된, 한때는 단란한 가족의 삶의 터전이었을 그러한 공간을 기록으로 남기고 싶었다. 그리고 기억을 하고 싶었다. 이곳이 결코 나와 무관하지만은 않았던 곳이기도 했기 때문이다. 나의 자녀들이 그들의 유년시절을 소환해낼 때 함께 기억될 공간이었고, 내게도 이곳은 한국에서 나의 새로운 정착기 일부를 차지하고 있는 장소였다.

어느 날 나는 집의 일부가 드러난 빌라를 좀 더 안쪽으로 들어가 사진을 찍고 싶었다. 거실 바닥은 여지없이 깨진 유리와 살림살이들이 어지럽게 널브러져 있었다. 특히 아이가 남긴 인형과 소꿉놀이 장난감, 그리고 고지서 종이와 같이, 전에 이곳에 살았던 사람들이 남기고 간 물건과 흔적들을 발견하고 나는 다섯 살 남짓 여자아이와 젊은 부부가 살았을 것이라 유추해 볼 수 있었다. 무슨 사연에서 아이가 아꼈을 것 같은 인형과 장난감은 버려졌을까. 아이가 언젠가 그의 어린 시절과 이 집과 소꿉놀이 도구들을 기억하고 다시 찾아왔을 때 흔적도 없이 사라져버릴 이 공간이 내게는 생생한 현장으로 내 앞에 펼쳐져 있다.

지금동의 거리와 집들은 점점 더 하나 둘 형체를 잃어갔고 어느 순간에는 흔적도 없이 사라졌다. 짧지 않은 기간 동안 생의 속살을 적나라하게 드러내며 무력하게 남아 있었던 폐허의 공간이었지만, 나는 이곳에 대한 기록을 통해 삶의 텍스처를 꺼내어 이야기 나누고 싶었다. 그리고 2015년에는 또 하나의 새로운 아파트가 그 사라진 마을의 터전 위에 형체를 드러냈다.

김현주ex-media, 보행도시 - 지금동이야기 no2, 영상, 2min, 2015

애초의 목적과 원형, 질서에서 이탈한 사물들이 자아내는 혼돈스러운 풍경의 텍스처를 보면서, 인간의 삶이 잉태한 단순할 수 없는 복잡 다양성을 느낄 수 있었다. 이곳은 개인과 공동체의 역사와 기억의 공간이자, 삶의 시간이 만들어낸 소멸의 미학이 함께 존재하는 곳이었다. 또한 인간과 사회의 자본주의적 욕망이 넘실대며 어떻게 하나의 마을을 삼켜버리고 또 아주 생경하고 쌔끈한 새로운 건축과 공간을 토해낼 수 있는가를 보여주는 한국의 흔한 재개발의 사례였다.

지금동을 시작으로 나는 남양주의 다산신도시, 별내신도시를 비롯해 개발이 시작되어 이제 새롭게 건물이 올라가고 있거나, 이제 막 갓 완공한 대규모의 아파트 단지들을 사진과 영상으로 기록하기 시작했다. 그러니까, 철거촌에서 느꼈던 삶의 텍스처가 완전히 지워진, 그래서 낯선 기하학적 공간처럼 느껴졌던 새로운 아파트촌의 풍경을 예전의 지금동 철거촌과 같이 오래되어 삶의 흔적과 기억을 간직하고 있는 공간과 대비해 보여주고 싶었다. 마치 캔버스에 제소를 칠하듯 새로운 아파트는 모노톤으로 시작하고, 일률적이고 규칙적인 패턴과 색으로 그 밋밋한 기하학적 외관을 드러내고 있었다. 도저히 사람이 살 수 있을 거라 생각이 들지 않는 이곳으로 이주가 시작되고, 또 다른 삶이 살아질 것이다. 내가 특히 관심이 갔던 것은 아직 건물의 형태는 완성되었으나 이주가 시작되지 않은 아파트

김현주ex-media, 보행도시 - 지금동 2011 no1, CPrint, 95cm×20cm, 2015

김현주ex-media, 보행도시 - 별내동 2015 no1, CPrint, 95cm×20cm, 2015

가 가지는 비인간적인 생경함이었다. 이들 새 아파트촌은 마치 만화나 회화 속에나 등장할 것처럼, 단 한 사람도 살지 않을 것 같은, 인간의 정주가 일어나지 않는 비인류학적인 무장소(non-place)의 공간으로 느껴졌다. 개인적 서사나 삶이 침투하기 힘든 이 무미건조한 공간의 탄생을 위해, 그 장소의 기억과 사물 등 모든 것이 갈아엎어지고 잊혀 사라진다는 것이 안타깝지 않을 수 없었다.

2015년 가졌던 보행도시 전시에서 특히 많은 부분을 차지했던 사진과 영상 작품들이 이러한 배경에서 시작되었다. 나는 당시 남양주에서 서울로 왕복 70킬로가 넘는 길을 출퇴근을 했어야 했고, 북부간선도로와 내부순환로를 지나가는 동안 지금동과 같이 사라지고 새롭게 태어나는 재개발의 현장을 몇 개 더 관찰할 수 있었다. 별내와, 가재울, 신내동, 마곡, 동대문 등이 그러한 곳이었다. 모두 대규모의 뉴타운으로 동네 한두 개 정도가 완벽히 제거되고, 새로운 아파트촌이 들어섰다. 이러한 개발 과정에서 도시의 모습은 마치 성형을 하는 신체와도 같이 변해가게 된다. 그리고 그러한 변화는 구글어스와 같은 지도를 통해 그 흔적을

추적할 수가 있었다. 나는 드세르토(Michel de Certeau)[1)]의 개념도시와 보행도시의 개념을 빌려, 서울과 수도권, 그리고 강원도 철원과도 같은 지방의 소도시까지 뉴타운과 같은 개발 행위를 통해 건설되는 개념도시의 일면을 〈이카루스의 시선〉 시리즈를 통해 보여주었다. 구글어스에서 찾게 된 10-20년간의 지도 스냅샷을 이어 붙여, 그 사이의 도시 공간의 변화된 모습을 영상으로 만들고 이를 벽돌의 탑으로 이루어진 조형물 위로 투사해 설치했다. 그리고 탑의 제일 위에 이러한 도시의 개발을 한 눈으로 높은 곳에서 아래로 바라볼 수 있도록 빈 의자-계획자의 의자-를 하나 세워둠으로써, 이러한 개발 계획의 이면에 작동하는 자본주의적 욕망이 누구를 특정하기 힘든 사회 깊숙이 침투된 우리 모두의 것일 수 있음을 암시하고 싶었다. 드세르토에 의하면 이카루스의 시선은 결국 위에서 아래로 조망하는 자의 시선이다[2)]. 도시를 경제적 자본의 대상으로 관조할 때, 우리는 그 내면에 녹아들어 있는 삶의 텍스처를 제대로 볼 수가 없다. 그래서 드세르토는 보행도시, 즉 걷기라는 일상적 실천을 통한 도시 읽기를 대안적으로 제시한다. 나는 드세르토의 보행도시의 관점에 많은 부분 공감을 했고, 이를 나의 신체와 감각적 경험에 대한 관심과 연결해 함께 작업을 진행하게 되었다. 일상적 삶의 공간 위에 발을 딛고, 걸어가며 발견되는 공간, 삶의 텍스처, 공간적 이야기로써 발화되는 도시인 것이다.

김현주ex-media, 계획자의 의자 : 이카루스의 시선- 서울편 2019. 영상 및 오브제 설치, 가변크기
서울미술관 〈보통의 거짓말 : Part3 국가편〉 전시전경

감각된 도시

이것은 개인의 욕망과 국가적 기획의 역작인 한국의 대규모 아파트 단지에서 느꼈던 생경한 풍경, 그 밑에 이미 소멸되었거나, 곧 사라질 공간들이 전하는 기억과 불편함에 대한 기록이다. 가상현실 속에 건설될 것만 같은 기계적인 이미지의 수직의 건물들, 인간이 살 것 같지 않은 그곳은 과거를 매장하고, 도려내어, 거의 아무런 인류학적 흔적도 남겨두지 않는다. 마치 이곳은 러닝머신으로 우리의 몸이 훈육되도록 하는데 매우 적합해 보인다. 우리의 공간과 신체는 끊임없이 거대 수술 중이다. 〈보행도시 작가노트 중〉

앞서 창작에 대한 설명에서도 언급했듯이 나는 디지털 매체를 다루는 과정에서 가상적 이미지의 스크린 공간을 벗어나 물리적 실재 공간 속에서 신체적이고 감각적인 경험을 하는 과정에 매력을 느껴왔

었다. 보행도시 프로젝트나, 그 이후 디지털 순성 프로젝트에서는 그런 의미에서 도시공간에 대한 드세르토의 보행도시 개념을 함께 연결해 감각적이고 신체적인 경험을 작품 속에 실천해 보고자 했다. 즉, 직접 현장에 나아가 나의 온몸으로 감각함으로써 경험하는 공간의 풍부하고 깊이 있는 서사를 끌어내고자 했다.
현대의 사회의 경제적, 기술적 발전으로 인간의 신체는 새로운 적응과 훈육을 감내하고 있다. 많은 위대한 사람들이 관찰하고 지적했듯이, 이동 수단의 발전으로 인간은 더 먼 거리의 장소를 더 짧은 시간에 이동하게 되었고, 네트워크와 통신 수단의 발전으로 전 지구적인 커뮤니케이션이 언제 어디서나 가능하게 되었지만, 역설적이게도 인간의 신체는 더욱 자발적으로 감금되고 무력해지고 있다. 보행은 인간이 살아가기 위한 본능적 활동 중 하나였지만, 현대의 삶에서 보행은 건강을 위한 숙제와도 같은 활동으로 변모했다. 이렇듯 기술은 신체를 다른 방식으로 훈육하게 한다. 나는 상징적 의미에서 작품 〈보행기계〉를 통해 현대인의 신체 훈육과 드세르토의 공간적 실천으로서의 보행의 모순성을 언급하고자 했다. 디지털 환경과 개념도시에 익숙한 우리의 신체가 점점 더 훈육되고 감금되고 있다고 보자면, 어쩌면 드세르토의 보행은 제대로 된 저항적 공간 실천으로 여겨졌다.

비릴리오[3)]가 우려했던 것처럼 출발하기도 전에 바로 그곳에 도착할 수 있는 시대에서, 출발지점과 도착지점 사이의 이동 과정은 자칫 생략되기 쉬운 여정이기도 하다. 그러나 나는 여기서 이 여정에 관심이 갔다. 내가 삶에서 돌아가는 우회의 여정을 중요하게 여겼듯

김현주ex-media, 보행기계, 러닝머신, 영상 프로젝션, 60cm×140cm×200cm, 2015

이, 도시 내에서 이곳에서 저곳으로 옮겨가는 중간의 과정들, 그 속에 내 신체가 온몸으로 듣고, 보고, 냄새 맡고, 촉감하는 그 감각적 경험이 장소에 대한 나의 관계 맺음에서 중요한 부분이있다.

특히 장소에 대한 소리의 기억은 특별하다. 지금동의 철거촌에서 정적을 깨는 부엉이 소리, 인근 뒷산의 풀벌레 소리, 그리고 철거 현장의 포클레인 소리는 2010년대 초중반의 그 장소를 기억하는 중요한 매개가 된다. 서울로 이사를 오고, 끊임없이 들려오는 올림픽대로의 소음과 아파트촌의 일상의 소리들도 아마 미래에 내가 이 장소를 기억하는데 먼저 떠올릴 중요한 단서가 될 것 같다.

디지털 순성 프로젝트를 진행하는 과정에서 한양도성에 대한 전문가들의 강연과 직접 장소를 찾아 걸어봄으로써 한양도성 순성길에

김현주ex-media, 순성 아티스트 워크샵 - Soundwalk, 2020
(SMIT 인문도시사업단 제공)

대해 많은 매력을 느꼈지만, 특히 순성이 가진 보행의 과정 자체가 흥미로웠다. 서울시의 궁전과 상권, 양반들의 집터 등 국가의 지배적 권력 공간을 둘러싸고 우회하는 이 특별한 원형적 인터페이스는 결국 시작점도 끝점도 없는 닫힌 순환구조이기도 하지만, 또 도성 안팎 사람과 물자가 이동할 수 있는 열린 공간이기도 했다.

출발하고자 하는 적당한 지점에서부터 시작해서 길을 걷는다. 그리고 적당히 힘겨워질 때 이 길을 빠져나오리라. 산으로 언덕으로 나 있는 길로 돌아 돌아가며 들어오는 인간적인, 또 자연적인 풍광을 눈으로 접하고, 또 그 소리를 들어가며 온몸으로 장소를 경험하며 걸어갔을 과거의 산보자들을 상상해본다.

특히 나는 그 보행의 과정 속에서 접하게 될 소리에 집중하고자 했다. 현대 서울의 도시 공간이 가지고 있을 사운드의 풍경은 어떠할까? 과거의 사람들이 이 길을 걸어가며, 또는 순성의 전과 후에 지

었을 시와 노래, 그리고 현대의 서울에서 경험하는 순성 구간의 사운드 풍경은 분명 많은 차이가 있을 것이다. 백악 구간의 새소리, 인왕산의 계곡을 지나며 들려오는 무당의 굿판, 남산 구간을 구경 온 관광객들의 대화소리, 낙산 구간의 공사 현장 소음 등 서울의 사운드스케이프는 현재와 과거, 자연과 인공의 여러 차원을 섞어둔 혼종을 이루는듯했다. 나는 참가자들과의 몇 차례의 워크숍을 통해 주변의 소리에 좀 더 집중해서 걸어보는 소리보행(soundwalk)을 제안했었다. 그리고 환경과 나의 신체, 공간의 소리에 집중하고 순간순간의 느낌과 생각을 기록해 보도록 유도했다. 소리에 대한 강조는 일종의 시각 중심적 매체 문화에서 비시각적인 감각 차원에 대한 강조를 통해 감각 전체의 복원을 꾀하는 것이라 할 수 있다. 그래서 순성이라는 보행의 과정을 통해 온몸으로 감각하는 공간적 경험을 제안하고 싶었다. 공간을 몸소 걸어가며 주변의 환경이 가지는 소리의 풍경을 채집하는 경험과, 또 증강현실을 통해 특정한 장소와 관련된 소리의 또 다른 층위의 가상적 서사를 소리로 들려주는 일련의 작업을 순성 프로젝트를 통해 진행했다. 증강현실을 통한 사운드스케이프 작업은 매체에 의한 공간의 중층적 매개 경험을 제공하는 것으로써, 디지털 기술 환경에서 기술적 장치나 상징에 의해 매개화된 도시공간의 상황과 맞닿아 있다.

매개화된 도시 공간

기술 환경 속에서 도시의 공간은 매개화된 공간(mediated space)이 된다. 즉 기술적 장치가 경험과 소통의 중간 매개자가 되어 도시 공간의 경험에 영향을 준다. 또한 현대 도시의 공간은 지리적 물리적 토대 위에 매체적 요소에 의해 매개화된 중층적이고 혼종적인 공간 경험을 제공한다. 지방과 서울을 연결하는 KTX 기차가 출발하고

김현주ex-media, Urban Network, 멀티채널 미디어 파사드, 누리꿈 스퀘어 미디어 보드, 서울스퀘어, 한빛미디어보드, 2011

도착하는 서울역의 광장은 맞은편 대우빌딩에서 뿜어 나오는 거대한 서울스퀘어의 LED 파사드 빛으로 현란하다. 2000년대 중반 이후 상암동의 디지털미디어시티가 세워질 때, 대부분의 건물주에게 요구된 것이 LED 보드를 건물의 외곽에 설치하는 것이었고, 그래서 건물마다 끊임없이 광고와 뉴스가 흘러나오도록 했다. 우리가 뉴욕 맨해튼의 타임스퀘어를 기억할 때 가장 먼저 떠올리는 장면 또한 거대한 광고 스크린들이다.
도시의 공간은 점점 더 미디어와 분리 불가능한 매개의 공간이 되어가고 있다. 마노비치는 이렇게 동적으로 변화하는 정보로 중첩된 물리적 공간으로서 도시의 매개된 환경을 증강공간(augmented space) 또는 데이터 공간(data space)으로 통찰하고 있다[4]. 나는 이렇듯 도시 공간 속에 기술적 매개 상황, 그리고 다양한 층위의 경험이 기술적 매개에 의해 혼종화되고 중첩되는 것에 관심을 가졌고 이를 일련의 프로젝트를 진행하며 작품으로 제작했다.

2011년 〈유기체로서의 도시〉 프로젝트에서 진행했던 〈Urban Network〉는 도시의 연결과 얽힘, 생성과 발전 및 소멸과 같은 유기체적 성격을 리좀적 네트워크로 형상화해서 서울의 세 지역에 설치된 미디어파사드에 함께 연동해 보여주었다. 여기서 도시와 도시, 도시 지역 간의 연결과 성장에 대한 시각화 작업은 특정 도시 공간과 관련된 소셜네트워크에서의 활동을 기반으로 측정된 데이터를 사용함으로써 데이터 공간화 된 도시의 이미지를 보여주고자 하였다. 서울스퀘어와 상암 디지털미디어시티, 그리고 청계천의 물리적 인터페이스로서 존재하는 미디어스크린은 소셜네트워크 공간에서 도시민의 활동 데이터에 의해 시각화된 가상적 이미지와 함께 중첩되어 도시 공간을 데이터 공간으로 증강시킨다. 〈Nano Urbanism〉은 거시적인 도시 네트워크를 나노 스케일의 미세한 분자 네트워크와 함께 병치되는 상황을 유리 조형 설치와 이에 투사되는 추상적 도시 이미지로 표현한 작품이다. 영상은 서울, 도쿄, 뉴욕, 쾰른 등을 포함한 10개 도시의 현재 날씨 상황을 실시간으로 보여주며 도시와 도시의 얽힘과 함께 움직임으로 그 유기체성을 강조하고 있다. 지구 위의 거대 도시 네트워크는 가상이며 현실로서 갤러리 공간의 유리 나노 분자들에 함께 투사되고 영상의 빛과 그것이 만들어내는 유리조형의 반사와 굴절, 그리고 그림자로 투영되게 함으로써, 세계적 스케일의 도시와 나노 스케일 차원의 혼재와 공간의

김현주ex-media, Nano Urbanism, 커스톰 소프트웨어, 유리, 프로젝션, 실시간 네트워크 가변 설치, 2011

김현주ex-media, 보행도시 v.2. 이동식 로봇 시스템, 카메라, 영상 및 사운드 설치, 가변크기, 2021
탈영역우정국 〈해시태그. 서울.〉 전시전경

혼종화 상황을 함께 보여주고 있다. 이러한 일련의 작품들은 미디어로 매개되는 도시의 공간을 여러 층위로 보여주는 것이었지만, 결국 거대한 미디어스크린 장치로 이루어진 도시의 스펙터클한 이미지로 보일 수 있는 부분도 존재했다.

결과적으로 도시 미디어 공간 속에 시민이 수동적으로 그러한 이미지를 소비하는 구경꾼이 되지 않고, 적극적으로 개입하고 참여하도록 쌍방향적이고 대안적인 다양성을 지닌 도시 미디어 커뮤

니케이션이 어떻게 가능할 수 있을까? 이것은 앞서 드세르토의 신체적이고 감각적인 경험에 의해서 실천되는 공간, 그리고 정적인 차원과 외관이 아닌 유동적으로 관계 맺고 경험되는 관계적 공간(relational space)[5]에서 좀 더 가능할 수 있을 것이라고 생각했다. 그리고 순성 프로젝트에서 진행했던 사운드케이프 모바일 앱 작업도, 또 탈영역우정국에서 전시한 〈보행도시 v.2〉에서도 도시 공간에 좀 더 경험적으로 나아가고, 참여하고, 감각하는 것에 관심을 가지고 진행했다. 다만 이러한 경험이 미디어에 의해 증강되고 혼종화된 도시에 대한 경험이라는 것은 분명했다.

전시 공간 내의 지하 터널을 작은 모바일 로봇이 천천히 이동한다. 로봇의 궤적을 따라 작가가 서울의 도시 속에서 걸으며 채집한 사운드와 인터뷰, 로봇에 탑재된 카메라로 들어오는 터널 안의 라이브 영상이 함께 중첩되어 터널 밖 스크린을 통해 보여준다. 로봇은 보행적 도시 공간을 관람객에게 간접적으로 경험하도록 하는 일종의 대리자이자 도시 보행의 기계적 시선을 보여주는 매개자가 된다. 과거의 한양도성을 배경으로 한 문학 작품 일부와 동시대 청년의 일상과 삶에 대한 인터뷰를 담은 서사와 공간의 이미지와 사운드 스케이프를 함께 경험하게 함으로써, 작품은 다층적 통시적 경험 공간으로써의 보행도시를 제시한다. 〈보행도시 v.2〉 작가노트

김현주ex-media, 보행도시 v.2. 이동식 로봇 시스템, 카메라, 영상 및 사운드 설치, 가변크기, 2021
탈영역우정국 〈해시태그. 서울.〉 전시전경

끝마치며 – 서울, 순성길 그리고 혼종화된 시선

디지털 순성 프로젝트를 진행하는 과정에서 한양 도성과 서울에 대해 참여 작가들과 연구자들과 여러 차례의 워크숍과 강연을 통해 고민과 생각들을 공유할 수 있었다. 그리고 창작의 과정에서 삶과 감각적 경험, 그리고 매개화된 도시 공간 속에 실천적이고 관계적인 공간 경험을 만들어 내고자 했다. 미처 언급하지 못했던 것이 있다면 이러한 공간적 경험에서 개입될 수 있는 타자성과 그 시선인 것 같다. 나는 한양도성이 과거와 현재, 그리고 미래의 시간까지도 함께 공존하는 상황을 함께 보이고자, 웨어러블 로봇을 입은 퍼포머가 한양도성의 낙산구간을 걸어가는 열혈예술청년단의 〈시간걷기〉 작업을 함께 했다. 그리고 〈보행도시 v.2〉에서는 갤러리 지하에 ㄷ자로 뚫려 있는 폭이 1미터 총 길이가 30미터가량의 터널을 로봇이 순환해서 지나가도록 했다. 이 두 작품에서 로봇은 결국 타자로서, 이방인적 존재로서 내가 걷고 경험하는 공간에 함께 공존한다. 그리고 그의 눈, 그 기계적 시선으로 나는 공간을 또다시 경험할 수 있게 된다. 내가 아닌 타자의 서사, 그리고 이방인의 시선, 인간과 기계/기술의 공존 등이 가져오는 혼종화는 결국 현재를 살아내는 한양도성과 순성길, 그리고 우리의 삶의 공간이 가진 특징이라 할 수 있지 않을까. 내가 선 여기 이곳에서 느끼고, 감각하고, 경험하고, 실천하되, 섞이고 변해가는 것에 넉넉함이 있길 바라며, 불친절한 나의 공간 에세이를 마친다.

열혈예술청년단, 〈시간걷기〉, 인문주간 순성길 퍼포먼스, 2020
(기획, 안무, 퍼포먼스 - 유재미, 공동기획 및 로봇디자인 - 김현주ex-media, SMIT 인문도시사업단 제공)

---

1) De Certeau, Michel. The Practice of Everyday Life. Berkeley and Los Angeles, California: UNIVERSITY OF CALIFORNIA PRESS, 1984.

2) ibid, p.92

3) Virilio, Paul. The Vision Machine. Bloomington: Indiana University Press, 1994.

4) Manovich, Lev. "The poetics of augmented space." Visual communication 5.2 (2006): 219-240.

5) McQuire, Scott. "The politics of public space in the media city." First Monday (2006).

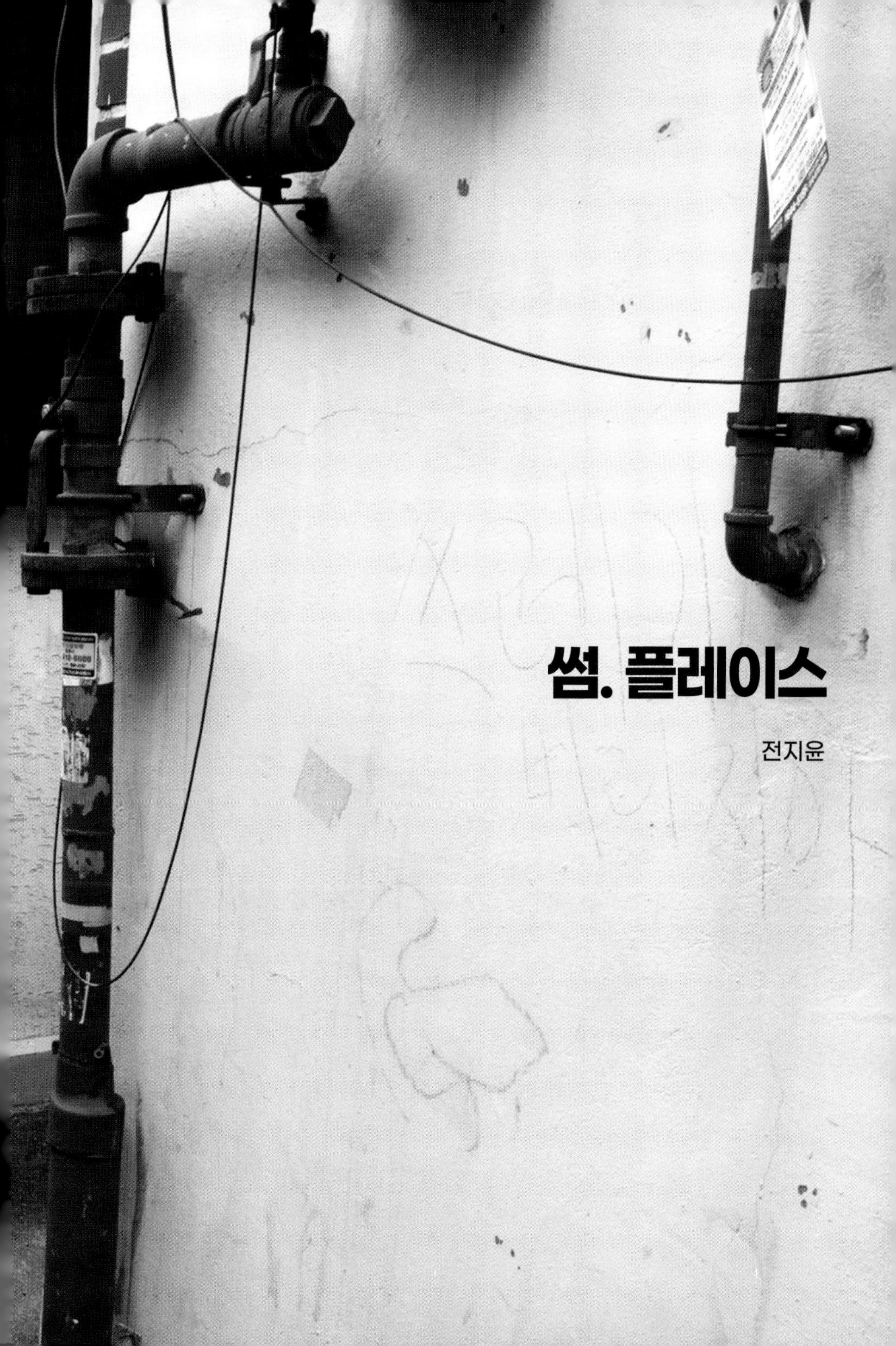

썸. 플레이스

전지윤

나의 시선=이미지; 이미지=데이터; 나의 시선=데이터?

나의 시선은 무엇을 보고 있는가?

서울역 고가도로 = 서울로 7017

도시 공간에 대한 작업은 시선이 놓이는 공간을 시간과 공간의 축 어느 지점에 놓이게 하느냐 에서 출발한다. 시간의 흐름 속에서 공간은 일정 시간으로만 기억된다. 그것이 경험이다. 그러나 체험된 경험을 믿어야 하는가? 왜냐하면 도시 공간은 위상적이기 때문이다. 나의 시선이 과연 시간 속에서 멈춘 공간을 본질적으로 바라볼 수 있을 것인가?

제일 토탈크리
무스탕·밍크·가죽·모
제일 토탈크리닝
페리카나

관인
신동
피아노
학원

엘리트
회현 제2 시민아파트
추진 위원 회사무실
회현 시범

光化

댄스스포츠
댄스

層

間

처음의 도시는 땅 그 자체였다. 인간에게 도시가 생성된 이후 도시의 장소적 위치는 변하지 않고 아직까지 유구한 역사와 함께 현존한다. 그 현존함을 어떻게 바라보아야 하는가? 시간이 지남에 따라 도시는 변화되었다. 변화된 도시도, 도시의 인간도 유기적으로 관계되고 있다. 도시와 인간의 유기적 관계는 과연 항상 연결될 수 있을 것인가?

나의 시선은 무엇을 생각하는가?

서울 나이테

곽윤수

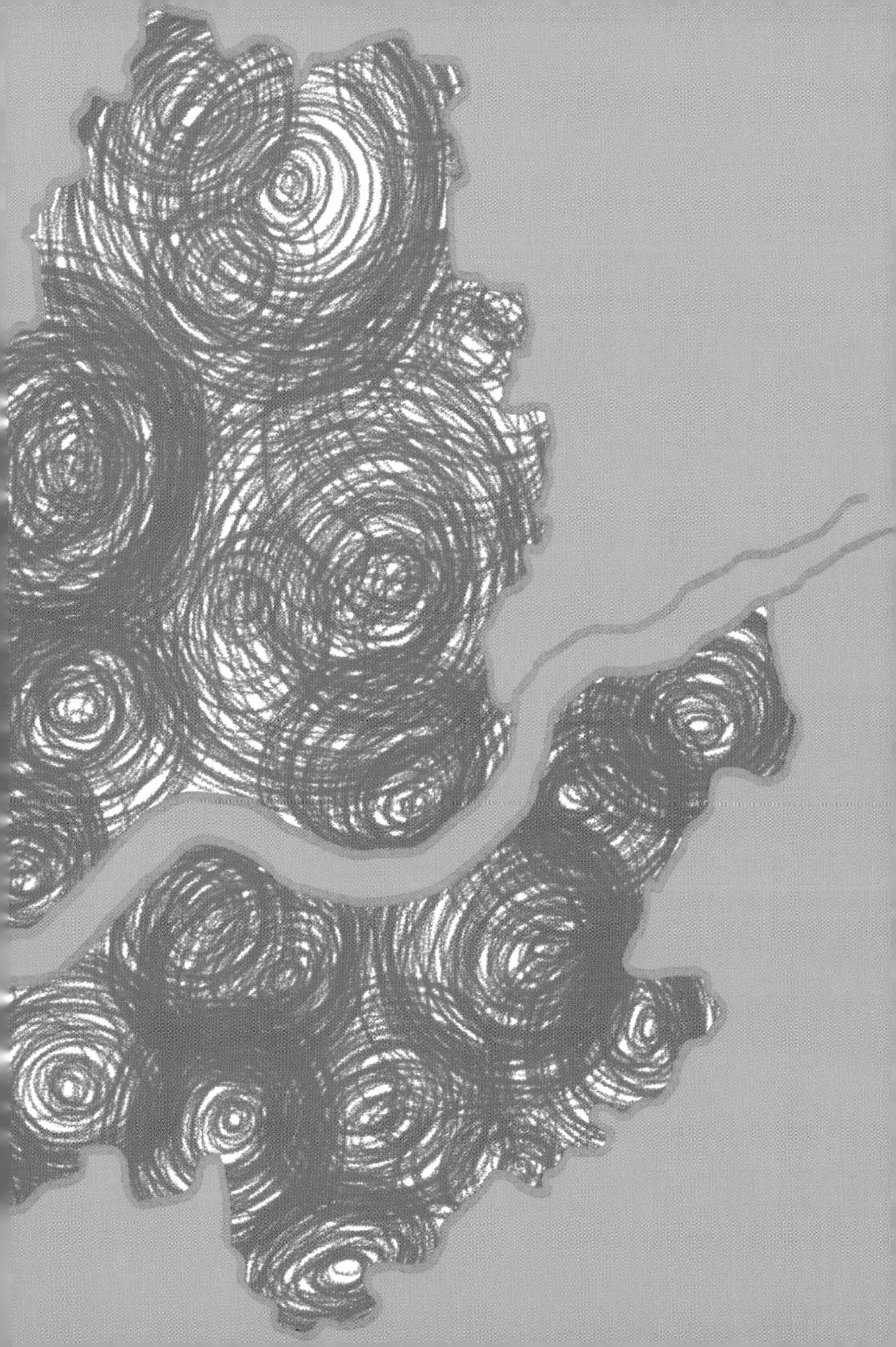

이야기의 탄생

많은 사람들은 자신에게 주어진 단 하나의 유일한 삶 외에 다른 삶을 살아볼 수 없음을 아쉬워합니다. 나 역시 실현되지 못한 나의 모든 잠재적 삶들 혹은 모든 가능했을 삶들을 전부 살아보고 싶었습니다. 하지만 이는 불가능한 일입니다. 그렇기 때문에 자주 타인의 삶을 엿보고, 상상을 덧붙여 이야기를 만들곤 했습니다.

만약 책을 읽으면서 이야기 속 인물들의 삶을 엿보고 있는 중이라면, 내 상상 속에 펼쳐지는 전망은 작가가 세워놓은 조망대에 구속되어 있습니다. 나는 오로지 작가가 보여주는 주인공의 삶만을 볼 뿐이며 다른 인물들은 오직 주인공과 함께 나타날 때만 볼 수 있습니다. 그들은 알지 못하는 것을 나는 볼 수 있기도 하지만 반대로 내가 보지 못하는 것을 그들만 알고 있을 수도 있습니다.

책뿐만이 아니라 나와 타인의 삶을 바라볼 때도 이와 비슷한 것 같습니다. 우리의 시선은 제한적이기 때문에 조망대를 삶의 여정 중 어디에 설치하냐에 따라 전혀 다른 이야기가 됩니다. 내가 지금 위치에서 어떤 이야기 속 타인의 생을 관찰하는 것과 직접 그 이야기 속 등장인물이 되는 것 사이에 간극은 무척 큽니다. 그리고 바로 이 틈이 다양한 이야기의 시작점이 됩니다.

타인의 삶 – 나이테

나무의 단면에는 나무의 나이를 가늠할 수 있는 나이테가 있습니다. 혹독한 한 해였으면 촘촘하게 풍족한 시간에는 널찍한 나이테가 생겨납니다. 이렇듯 나이테는 그 나무의 어린 시절부터 지금까지의 환경이 어떠한지를 짐작할 수 있게 해줍니다.

내가 살고 있는 도시가 꼭 나무와 같다는 생각이 들었습니다. 각자의 사연을 가지고 살아가는 개개인들이 하나둘 모여서 마치 나이테처럼 큰 기둥의 도시를 만듭니다. 이제까지 누적돼 온 나이테를 한 줄 한 줄 되짚어가다 보면 당시의 시절을 생생하게 그려볼 수 있습니다. 그렇게 접근하는 지난 시절은 학문적으로 접근하는 역사와는 다릅니다. 지나가서 끝나버린 게 아니라 아직도 나와 밀접하게 닿아있는 시간처럼 느껴집니다.

여기 세 개의 짧은 이야기가 있습니다. 지극히 사소한 보통 사람의 이야기이지만 누구나의 이야기입니다.

#1. 어느 날_A의 이야기

내가 아주 어렸을 때 여의도는 미군 비행장이었지.

여의도 남쪽으로 영등포를 마주 보고 있었고 그 사이로 샛강이 흐르고 있어서, 그때의 여의도는 지금과는 전혀 다르게 완전한 섬이었어. 아마도 여의도 광장이 있는쯤이었나, 평평한 땅을 골라 활주로를 만들어 미군이 머물러 있었어. 그때는 여의도에서 마포를 잇는 다리가 없어서 미군을 드나드는 모든 차량이나 인력은 영등포 쪽으로만 다녔었어.

나는 그때 대방동에 살았었는데 정말 많은 미군들을 볼 수 있었어. 가난한 시절 우리 동네 아이들은 겨울이 되면 총알구멍이 숭숭한 미군용 방한모를 쓰고 다니곤 했었지. 길거리에서 미군 지프차가 보이면 나와 동네 친구들은 "헬로 짭짭" "기미 쪼꼬랫" 을 외치면서 따라다니곤 했고, 그런 아이들에게 미군들은 사탕이나 초콜릿 같은 걸 던져주곤 했었어.

지금 여의도 고수부지 자리는 미군의 땅콩 밭이었어. 대방동이나 신길동에 사는 아이들은 여름만 되면 강변에 모여 옷을 벗고 수영으로 샛강을 건너 땅콩을 훔쳐오곤 했었지. 땅콩을 모래밭에 심어놔서 그런지 조금만 힘을 줘도 쉽게 잘 뽑혔었거든.

그때 나는 나이가 좀 어린 편이여서 형들이 땅콩 서리를 갈 때 잘 껴주지 않았었어. 주로 강변에 벗어놓은 옷가지를 지키거나 망을 보는 일을 했었는데 속으로는 나도 같이 샛강을 헤엄쳐 건너 땅콩을 원하는 만큼 뽑아오고 싶었었어.

그러던 어느 날 동네 형들이 나를 땅콩 서리 하는 데까지 데려간다는 거야. 그렇게 끼고 싶었었는데, 막상 같이 도둑질을 하려니 심장이 쿵쾅쿵쾅 뛰더라. 그래도 겁쟁이라고 놀림 당할까 봐 기어이 따라나섰어.

이쪽 강변에 옷을 벗어놓고 헤엄쳐 여의도로 건너 가보니 강변의 땅콩은 이미 다른 아이들이 모두 뽑아가서 강변 위로 약간 올라가야 했어. 저만치 미군 막사가 보이는데 어찌나 무섭던지 심장 뛰는 소리가 거기까지 들릴까 봐 걱정이 될 정도였지. 긴장이 최고조에 달했을 때 호루라기 소리가 들리면서 흑인 병사 한 명이 가까이 오는 게 보였어. 너무 무서웠고 발이 움직이지 않아서 도망갈 수 없었는데, 나를 데려왔던 동네 형들은 이미 도망갔는지 보이지도 않더라고.

가까이 다가온 그 흑인 병사는 나한테 뭐라고 말은 하는데 전혀 알아듣질 못했어. 동네 어른들이 했던 미군은 애들도 잡아먹는다는 말이 생각나서 공포에 질려있었거든. 아마 악을 쓰면서 울기만 했던 것 같아.

그 병사는 나한테 뭐라고 계속 얘기하다 결국 벌거벗고 있는 나를 번쩍 들어 옆구리에 끼고 미군 막사로 데리고 갔어. 거기엔 온통 흑인들만 있었고 다들 울고 있는 나를 보면서 하얀 이를 드러내고 웃고 있는데 꼭 나를 나눠 먹으려고 하는 것 같았어. 오줌을 지릴 정도로 울어댔지.
내가 하도 울어대니까 그들은 나한테 사탕이랑 초콜릿을 주면서 달래려 했어. 그래도 멈추지 않고 계속 울었지. 결국엔 미군 종이봉투에 과자랑 초콜릿을 한가득 담아줬는데 울면서도 그건 두 손으로 꼭 받았지. 그리고 밖에 나가는 미군이 나를 집 근처까지 태워다 줬어. 익숙한 곳에 오니 저절로 눈물은 쏙 들어가더라.

근데 저기서 나를 버리고 도망갔던 형들이 다가오는 게 보이는 거야. 아무래도 내가 얻어온 전리품을 뺏길 것 같아서 다시 울기 시작했어. 형들이 말을 걸 틈을 주지 않고 계속 울어댔어. 형들은 내가 두 손으로 꼭 쥐고 있는 봉투를 흘끔흘끔 쳐다보긴 했지만 그게 뭐냐고 물어보진 않더라고. 그렇게 우리 집 대문까지 쫓아온 형들을 끝까지 모른척하고 나는 잽싸게 방으로 들어가서 혼자서 과자랑 사탕, 초콜릿을 신나게 먹었어.

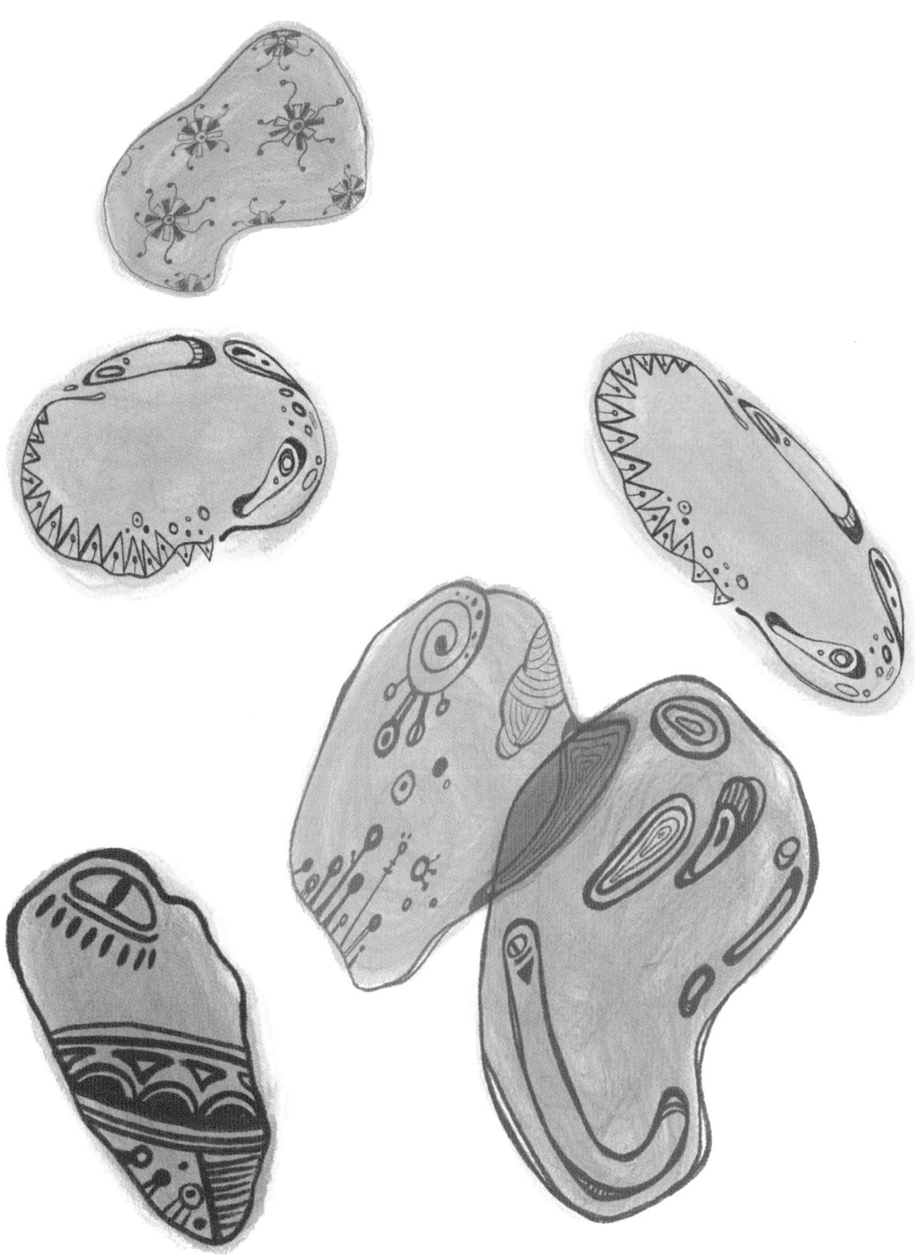

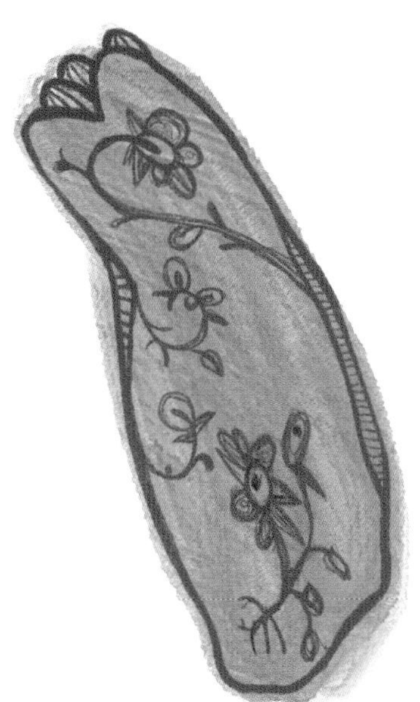

#2. 어떤 회상_b의 이야기

지금 돌이켜보면 아등바등 살았던 그 시절이 까마득하네요. 100년도 안된 짧은 시간인데 말이에요. 서울에는 아주 어렸을 때 부모님을 따라왔어요. 아마도 전쟁이 끝나고 먹고살기 위해 시골 고향을 떠나 도시로 무작정 올라왔을 거예요. 내 아버지는 배움도 짧았고 도움을 받을 만한 친인척도 없었지만 부지런했고 힘이 장사였어요. 처음에 아버지는 영등포 근방에 있는 공장에서 일을 했어요. 그렇게 돈을 조금씩 모아서 농사를 지을 땅을 샀던 것 같아요. 서울에서 살기 시작한 뒤로 동생들이 태어났고 아버지, 어머니, 나, 이렇게 셋이었던 가족은 여덟까지 늘어났어요. 그 시절 내 또래들이 다 그러했듯 첫째인 나는 아버지의 일을 많이 거들었어요. 고등학생이 된 후로는 아버지를 따라 공장에 다니며 허드렛일을 했어요. 솔직히 나는 공부를 계속하고 싶었어요. 교실에서 책을 읽고 글을 쓰는 것이 좋았거든요. 근데 하루 종일 허리 펼 새도 없이 일하는 부모님과 내 밑으로 줄줄이 있는 동생들을 모른 척할 수 없었어요. 무엇보다 아버지가 나도 공장에 나가 돈을 벌어 오길 바랐거든요. 그래서 대학에 가고 싶었지만 포기했어요. 고등학교를 졸업한 다음 바로 아버지가 다니던 공장에 정식으로 취직을 했어요. 그 뒤로 어떻게 살았는지 정확하게 기억이 안 나요. 정말 열심히 살았다는 것 밖에 할 말이 없네요. 아버지가 하던 대로 나도 공장에서 돈을 모으는 대로 농사지을 땅을 샀어요. 조금씩 넓어지는 땅을 보면서 일하는 보람을 느끼기도 했지만 대학을 가지 못했다는데 오랫동안 마음이 헛헛했어요. 가끔씩 만나는 동창들에게서 대학에 간 녀석들의 소식을 전해 들을 때는 울적해지기까지 했어요. 책을 읽는 것을 좋아해서 원래는 선생님이 되고 싶었거든요. 나는 체격이 작고 왜소해서 공장이나 농사일이 버거울 때마다 가지지 못한 꿈을 아쉬워했어요. 아니, 다시 생각해 보니 그 당시에는 아쉬워할 겨를도 없었던 것 같네요. 공장일을 하면서 농사일도 해야 했거든요. 지나간 시절을 떠올리면 아쉬워하는 시간조차 아까운 시절이었어요. 그렇게 정신없이 살다 보니까 내 소유의 공장도 생겼고 꽤 넓은 농지도 생겼어요. 그 사이 결혼도 했고 자식도 둘이나 생겼고요. 시간이 흘러서 애들이 학교를 들어갈 나이가 되었고 자랑스럽게도 공부도 제법 했어요. 그러고 보니 대학생이 된 애들을 보면서 내가 이루지 못했던 꿈을 떠올린 것 같아요. 그때 처음으로 사느라 바빠서 헤아리지 못했던 아쉬움을 깨달았나 봐요. 그래서인지 첫째가 미국으로 유학을 가고 싶다고 말했을 때 흔쾌히 허락했어요. 우리 집 사정에 미국 유학을 뒷바라지 한다는 게 쉬운 일은 아니었지만 하겠다는 애의 마음을 꺾고 싶지 않았어요. 가지고 있던 농지를 잘라 팔아가며 첫째의 학비에 보탰어요. 걔도 제 딴에는 부모에게 큰 부담을 주고 싶지 않았는지 열심히 공부했어요. 결국 좋은 성적으로 졸업을 하게되었고 졸업식 할 때는 대표로 상도 받고 큰 행사에도 참여한다며 우리를 미국에 초대했어요. 단상 위에 있는 첫째 애의 웃은 얼굴을 보니 보람되고 행복하면서 한편으론 내가 그 위치에 있는 모습을 그려봤어요. 만약 어린 시절 내 부모가 나 같은 사람이었다면 지금 나의 삶은 어떻게 달라져있을까 하는 상상도 했어요. 지나온 내 삶을 후회한다거나 부정하는 것은 아니지만 내가 살지 못했던 삶에 대해 아쉬운 마음이 드는 것은 어쩔 수가 없어요. 나이가 들어가며 일거리는 줄어들고 시간이 많아지니 자꾸 이런 쓸데없는 생각게 되나 봐요.

고요함

빨간

비현실적

매케한

다급한

매운 냄새

웅웅

따가웠다

희미한 매운내

#3. 어떤 인상_C의 이야기

기억도 안 나는 어린 시절부터 대학생이 될 때까지 살았던 **빨간** 벽돌집은 안산과 홍제천 근방의 조용한 주택가에 있었다. 아마 아직도 그곳에 있을 것이다. 1980년대 말을 제외하고 내가 거기서 살았던 20여 년 동안 크게 시끄러웠던 적은 거의 없었다. 그래서 빨간 벽돌집이라는 이미지는 늘 고요함과 함께 연상된다. 동네가 시끄러웠던 1980년대 말에 대한 기억은 약간 가물가물하다. 내가 막 학교에 입학했을 무렵이니 아마도 1987년쯤 되었을 것이다. 그 무렵 우리 집 근처에 있던 대학교에서는 하루가 멀다 하고 데모를 했었다. 철조망이 달린 버스들이 늘 동네 근방에 있었고 **매캐한** 최루탄의 냄새가 골목을 채웠다. 유달리 시끄러운 소리가 나고 **최루탄 냄새**가 강했던 어느 날 학교에서 수업을 받던 도중 교장선생님이 교내 방송으로 바로 집에 돌아가라고 했다. 손수건을 물에 푹 적셔 얼굴을 감싸고 선생님의 지도에 따라 교문을 빠져나왔던 기억이 난다. 학교 교문을 나서는 순간 목구멍까지 꽉 차던 그 **매운** 냄새를 아직까지 생생하게 기억한다. 그 매운 냄새가 얼굴에 닿는 게 느껴지니 엄청 따가웠다. 손으로 얼굴을 만지지 말라고 소리치던 선생님의 목소리도 생각난다. 아무튼 나는 젖은 손수건을 얼굴에 덮고 눈물 콧물을 흘리면서 간신히 집까지 왔다. 찬물로 얼굴을 계속 씻는데도 계속 눈물과 콧물이 나왔다.

학교 비상 연락망을 통해 다음날까지 학교에 나오지 말라는 전화를 받았다. 밤새도록 웅웅거리듯 들려오던 소리와 불안해 보이던 아빠 엄마의 얼굴 때문에 나는 무서웠지만 울지도 못했었다. 골목길에 사람들이 뛰어다니는 다급한 발소리가 평소보다 자주 들렸고 나는 동생과 함께 이불을 뒤집어 쓴 채 자는 둥 마는 둥 밤을 보냈다. 어린 마음에 전쟁이 난 것이라 생각해서 피난길에 혹시나 나를 두고 갈까 봐 긴장을 했기 때문이다.

어수선한 하루, 아니면 이틀의 시간을 보낸 뒤 학교에 가기 위해 처음으로 집 밖으로 나섰다. 전날 잠을 설칠 만큼의 어수선한 소리과 긴박했던 긴장감이 다 거짓처럼 느껴질 만큼 집 앞 골목길은 조용하고 깨끗했다. 전쟁 같았던 지난밤의 긴장감이 비현실적으로 느껴지면서 마치 이상한 꿈을 꾼 것 같았다. 금세 평소와 다름없는 등굣길의 마음가짐이 되었다. 하지만 골목길을 빠져나와 학교에 다다르면서 **희미한 매운 내**가 느껴졌다. 공기 중에 아주 조금 남아있는 지난밤의 흔적이었다. 순간 콧물이 주르륵 흘렀다. 나도 모르게 몸이 반응을 하는 것이다.

그 후로 20여 년이 흐른 지금까지 **특정한 매운 냄새**를 맡으면 콧물이 저절로 나오고 괜히 얼굴이 따끔거린다. 프루스트는 마들렌 향기를 맡으니 유년시절 기억이 떠오른다고 했다. 그의 기억 스위치는 참 달콤하고 따뜻하다. 반면 내 유년기의 기억을 불러오는 감각 자극들은 프루스트처럼 낭만적이지도 다정하지도 않다.

아시아의 네 마리 호랑이

양아치

호랑이 가면을 만들어
착용해보세요.

그리고

어흥

(아시아 호랑이 가면을 쓴 채로,)

(친구에게 영상통화, 일반 통화 혹은 문자 중에서, 당신이 선택해서 아래의 대사를 전한다.)

아시아 호랑이 가면을 쓴 당신 : 아시아의 네 마리 용은 대한민국, 싱가포르, 타이완, 홍콩을 지칭합니다. 이들은 모두 과거 제국주의 열강의 통치를 받았으나, 열강으로부터 해방된 이후, 고도의 경제적 성장과 번영을 이루었습니다. 20세기 중후반 용어가 처음 나온 당시에는, 아시아의 네 마리 용에 해당하는 나라들은 신흥공업국으로 중진국 수준이었으나, 그 후에도 지속적인 빠른 경제성장을 통해 21세기 현재 대한민국, 싱가포르, 타이완, 홍콩은 선진국이라고 평가됩니다.. 2019년을 기준으로 홍콩과 싱가포르의 경우 1인당 GDP가 49,000달러 이상 되는 국제적인 금융허브도시이자 도시국가가 되었고, 타이완은 그 나름의 경쟁력을 갖췄습니다. 무엇보다도 대한민국은 4룡 중 유일하게 G20 및 OECD의 일원으로 2019년 기준 GDP 세계 12위, 1인당 GDP 세계 27위 31,430달러, 1인당 국민소득 세계 26위 33,720달러, 1인당 GDP 세계 30위 44,740달러에 달하는 경제대국으로 성장하였습니다.

친구 :

(당신의 대사를 전해 들은 친구의 첫 말을 상단에 쓰세요.)

(아시아 호랑이 가면을 쓴 채로,)

아시아의 네 마리의 호랑이의 위치를 위도와 경도를 기입합니다.

대만 :

대한민국 :

싱가포르 :

홍콩 :

그리고

당신의 위치 :

(아시아 호랑이 가면을 쓴 채로,)

Youtube에서 Tiger Dance, Vijay Krishna Bvr를 검색한다.

첫 번째 클립을 재생한다.

아시아 호랑이 가면을 쓴 당신은 잠시 바라본다.

1분 16초부터, 호랑이 댄스를 한다.

(아시아 호랑이 가면을 쓴 채로,)

(친구에게 영상통화, 일반 통화 혹은 문자 중에서, 당신이 선택해서 아래의 대사를 전한다.)

아시아 호랑이 가면을 쓴 당신 : 아시아의 네 마리 용에 해당하는 나라들은 1960년대~1990년대 사이 연평균 경제성장률 7%가 넘는 급격한 경제성장을 보여준 곳들입니다. 2015년 시점에서 볼 때, 네 마리 용은 모두 선진국이 되었습니다. 홍콩과 싱가포르는 세계 금융의 중심지가 되었으며 한국과 대만은 IT 분야의 강국이 되었습니다. 서구의 학자들은 그 비결로 유교적 국민성을 꼽습니다. 아시아의 네 마리 호랑이의 성공 스토리는 다른 여러 개발도상국의 롤 모델이 되어왔으며 특히 태국, 말레이시아, 인도네시아, 필리핀, 베트남의 5개국은 네 마리 호랑이를 벤치마킹하여 경제대국으로 도약하고 있는 중이며, 이들을 함께 묶어 아시아의 다섯 마리 호랑이라고 부르고 있습니다.

친구 :

(당신의 대사를 전해 들은 친구의 첫 말을 상단에 쓰세요.)

(아시아 호랑이 가면을 쓴 채로,)

아시아의 다섯 마리의 호랑이의 위치를 위도와 경도를 기입합니다.

말레이시아 :

베트남 :

인도네시아 :

태국 :

필리핀 :

그리고

당신의 위치 :

(아시아 호랑이 가면을 쓴 채로,)

늦은 밤, 호랑이 별자리를 찾아봅니다.

호랑이 별자리를 찾은 후, 위치를 기록하세요. 그려보세요.

(아시아 호랑이 가면을 쓴 채로,)

유튜브에서 월량대표아적심, 렐라 TV를 검색한다.

첫 번째 클립을 재생한다.

아시아 호랑이 가면을 쓴 당신은 잠시 바라본다.

광둥어로 부른다.

(아시아 호랑이 가면을 쓴 채로,)

호랑이를 찾았으면, 황색 표시를 한다.

어흥,

(아시아 호랑이 가면을 쓴 채로,)

Youtube에서 Shaolin Tiger Fist를 검색한다. 첫 번째 영상을 재생한다. 인왕산을 오른다.

어흥,

당신에게 헤드 마운트 디스플레이가 있다면, 착용한다.

Youtube에서 Experience the Elusive Tiger를 검색한다. 첫 번째 영상을 재생한다. 인왕산을 오른다.

어흥,

(아시아 호랑이 가면을 쓴 채로,)

당신의 스마트폰 브라우저에서, Tiger를 검색한다.

View in 3D를 클릭한다.

잠시 감상한다.

내가 있는 공간에서 보기를 클릭한다.

(잠시 기다린다.)

아시아 호랑이가 등장하면,

녹화한다.

당신의 SNS에 녹화된 동영상을 올린다.

해시태그한다. #FourAsianTigers

어흥,

(아시아 호랑이 가면을 쓴 채로,)

행운의 **호랑이**

행운의 **호랑이**는 영국에서 최초로 시작되어 일 년에 한 바퀴 돌면서 받는 사람에게 행운을 주었고 지금은 당신에게로 옮겨진 이 **호랑이**는 4일 안에 당신 곁을 떠나야 합니다. 이 **호랑이**를 포함해서 행운의 호랑이를 7명에게 보내 주셔야 합니다. 복사를 해도 좋습니다. 혹 미신이라 하실지 모르지만, 사실입니다.

영국에서 HGXWCH이라는 사람은 1930년에 이 **호랑이**를 받았습니다. 그는 비서에게 복사해서 다른 이에게 **호랑이**를 보내라고 했습니다. 그는 곧 행복해지는 경험을 하게 되었습니다. 어떤 이는 이 **호랑이**를 받았으나 96시간 이내 자신의 손에서 떠나야 한다는 사실을 잊었습니다. 그는 곧 불행해지는 경험을 하게 되었습니다. 나중에야 이 사실을 알고 7통의 **호랑이**를 보냈는데 다시 행복해지는 경험을 하게 되었습니다.

미국의 케네디 대통령은 이 **호랑이**를 받았지만 그냥 버렸습니다. 결국 9일 후, 그는 암살 당했습니다.

기억해 주세요.

이 **호랑이**를 보내면 7년의 행운이 있을 것이고, 그렇지 않으면 3년의 불행이 있을 것입니다. 그리고 이 **호랑이**를 버리거나 낙서를 해서는 절대로 안 됩니다. 7통입니다. 이 **호랑이**를 받은 사람은 행운이 깃들 것입니다. 힘들겠지만 좋은 게 좋다고 생각하세요.

당신의 7년의 행운을 빌면서,

저자 소개

최정은

홍익대학교 졸업, 뉴욕대(NYU)에서 시각문화이론으로 석사를, 듀크대 (Duke University)에서 현대 미술사와 미디어이론으로 박사를 받고 현재 듀크 대학교 중국 캠퍼스(Duke Kunshan University)에서 예술사와 미디어이론을 가르치는 교수로 재직 중이다. 서울 아트센터 나비와 독일 ZKM 등, 현대 미술관에서 큐레이터로 재직하였으며, 현재도 독립큐레이터로 활동하고 있다.

김헌수

홍익대학교 경영학부를 졸업하고 동 대학원에서 사진을 전공했다. 사진 스튜디오를 운영했고 잠시 공직에도 몸담았다. 사진을 기반으로 시각 메세지와 인간에 대해 탐구하고 있다.

김태은

홍익대학교와 동 대학원 회화과를 졸업하고 예술과 기술, 미디어 아트와 영화의 장르적 경계를 넘나드는 미디어 작가이다. 주요전시로는 2020 바이오필리아(국립아시아문화전당), 2019 한국비디오아트 7090: 시간이미지장치(국립현대미술관), 2006 서울국제미디어비엔날레(서울시립미술관) 등이 있다.

오로제

홍익대학교 독어독문학과를 졸업하고 연세대학교 독어독문학과에서 문학 석사학위를 받았다. 글자와 목소리, 소리로 활동 중이다. 텍스트와 비텍스트의 틈 속에서 목소리와 잡음을 통해 청각적 접촉과 공간 형성에 관한 다양한 실험을 기획하고 있다.

김현주ex-media

포항공대와 미국 뉴욕주 시라쿠스대학의 트랜스미디어과에서 컴퓨터아트를 전공했다. 실험영상에서부터 미디어 설치, 로보틱 아트, 퍼포먼스에 이르기까지 확장미디어적 접근으로 디지털 테크놀로지가 이루어낸 미학적, 사회 문화적 변화들에 관심을 가진다. 또한 예술이 기술과의 접점에서 궁극적으로 시대정신과 문화, 사회를 향유하길 모색한다. 10여회의 개인전과 60여회의 국내외 단체전을 통해 해외 및 한국에서 활동 중이다. 매사추세츠대학 로웰 조교수를 거쳐 서울미디어대학원대(SMIT)에서 확장미디어스튜디오 디렉터이자 뉴미디어학부 부교수로 연구 창작 중이다.

전지윤

School of Visual Arts에서 디자인(M.F.A)으로 서강대학교 영상대학원에서 예술공학(Ph.D)로 졸업하였다. 창의적으로 차별화된 시각적 방법론을 모색하고자 예술, 디자인 그리고 기술의 영역에서 융합적인 시각적 언어를 연구한다. 특히 작가는 증강현실이 현실과 가상으로 해체된 구조를 가지고 있는 현실이자 관람객에 의하여 재편된 결합으로 이루어진 또 다른 현실로 보고, 타자, 즉 관람객과의 관계적 상황 안에서 인터렉션 구조로 생성한다. 작가는 자아에 대한 실존을 상대적 관계성에서 사유하고자 이와 같은 관계적 상황으로 제시하고자 한다.

곽윤수

'인간을 인간으로 정의할 수 있는 조건'에 대해 관심이 많다. 특히 4차 산업시대의 신기술들이 실생활 속에서 두루두루 적용되기 시작하는 요즘, '인간으로 구분될 수 있는 기준'에 대한 생각이 더욱 많아졌다. 또한 한 인간의 정체성은 어디에서 비롯되는지, 존재의 기원에 대한 고민도 함께 하는 중이다.

양아치

근미래, Screen, 전미래 futur antérieur, 칠보시 七步詩, Seven-Step Poem 등의 개념을 가지고 기술과 사회의 상호관계를 연구한다. 8회의 개인전과 88회 이상의 기획전을 가졌다.

해시태그. 서울.은 서울미디어대학원대학교 인문도시사업단이 주관하는 〈디지털 인문도시: 순성의 복원〉 프로젝트의 일환으로 2018년 대한민국 교육부와 한국연구재단의 인문도시지원사업 지원을 받아 추진되었습니다.
(NRF-2018S1A6A6061320)

〈디지털 인문도시: 순성의 복원〉(2018-2021)은 대한민국 교육부와 한국연구재단의 인문도시지원사업으로 서울미디어대학원대학교(SMIT)가 서울시와 협력해 진행했습니다. 한양도성을 서울이라는 도시의 역사와 성 안팎 민초의 이야기를 품은 하나의 인터페이스로 인식하고 이에 담긴 인문학적 가치를 재고하며 디지털 인문학적 방법론을 도입해 다양한 대중 강좌, 공연, 전시, 체험 프로그램을 개발 제공했습니다. 이 프로젝트는 곽윤수, 김태은, 김헌수, 김현주 ex-media, 양아치, 전지윤, 최소리, 최정은, 한정수, 허경진 이상 연구진 및 참여작가들과 김혜령, 김희정, 남민아, 육지민, 정찬민이 실무진으로 함께 참여했습니다. www.inmuncity.org